atlas
de zoologie

GAMMA • ÉCOLE ACTIVE

© Parramón Ediciones, S.A. – 2001 – Droits Mundiaux

Titre original : Atlas de zoologia

Auteurs : José Tola – Eva Infiesta

© Éditions Gamma,

60120 Bonneuil-les-Eaux, 2002,

pour l'édition française.

Traduit par Édouard Chard Hutchinson.

Dépôt légal : septembre 2002.

Bibliothèque nationale.

ISBN 2-7130-1955-9

Exclusivité au Canada :

Éditions École Active

2244, rue de Rouen, Montréal,

Qué. H2K 1L5.

Dépôts légaux : 4e trimestre 2002.

Bibliothèque nationale du Québec,

Bibliothèque nationale du Canada.

ISBN 2-89069-696-0

Loi n° 49-956 du 16 juillet 1949

sur les publications destinées à la jeunesse.

Imprimé en Espagne.

PRÉSENTATION

Cet atlas de zoologie offre au lecteur un moyen exceptionnel de connaître le monde animal, ses origines, les évolutions qu'il a connues et les caractéristiques des différentes espèces. Il s'agit donc d'un instrument extrêmement utile pour accéder à la connaissance de cette merveille que constitue la faune de notre planète. Les animaux nous ravissent par leur variété et leur comportement, mais ils participent aussi à l'équilibre écologique de la Terre et à l'alimentation humaine de façon importante.

Les différents chapitres de cet ouvrage forment un résumé complet de la zoologie. Ils comprennent de nombreuses planches et figures claires, mais rigoureuses, qui montrent les principales caractéristiques de l'anatomie, de la physiologie, du comportement et des particularités qui distinguent les genres, les familles et les espèces animales. Ces illustrations, qui constituent le noyau de cet ouvrage, sont éclairées par de brèves explications et des notes qui facilitent la compréhension des principaux concepts. Un index alphabétique permet de trouver facilement les renseignements recherchés.

En entreprenant l'édition de cet atlas, notre ambition était de réaliser un livre pratique et didactique, utile et abordable, d'une grande rigueur scientifique et agréable à lire. Nous espérons que nos lecteurs pourront constater que nous avons réussi.

SOMMAIRE

INTRODUCTION

LA ZOOLOGIE

De toutes les sciences, la zoologie, c'est-à-dire l'étude des **animaux**, est celle qui a le plus intéressé l'homme et ceci bien avant qu'elle ne devienne une science. Il y a des milliers d'années, nos ancêtres, sans être des scientifiques, observaient les animaux, car ils représentaient quelque chose d'important pour eux. Certains étaient de terribles **ennemis** dont ils devaient connaître les territoires et les coutumes pour les éviter et survivre. D'autres, en revanche, étaient recherchés par l'homme qui devait savoir où ils se cachaient et identifier leurs traces. La raison en était très simple : ils constituaient une **nourriture** de bonne qualité et leur capture signifiait ne pas mourir de faim.

Au fur et à mesure, l'homme a accumulé des connaissances sur les animaux qui fréquentaient les mêmes lieux que lui. Il se comportait en chasseur, mais il y a 3000 ans cette situation changea.

À cette époque, les Grecs commençaient à développer une des plus grandes civilisations du monde. Une de leurs réussites fut de créer la science, c'est-à-dire l'étude des sujets qui les intéressaient en les débarrassant des superstitions et de la magie. Ils décrivirent les animaux comme des êtres vivants dotés de certaines propriétés. Ils ont bien commis quelques erreurs, tel le classement des baleines dans les poissons parce qu'elles vivaient dans la mer. En fait, ils appelaient « poisson » tout animal vivant dans l'eau sans tenir compte du mode de reproduction. En effet, les baleines sont des mammifères.

Les connaissances sur les animaux se sont accrues au fil du temps. Cependant, il y a 1000 ans, on croyait toujours que les oies sauvages naissaient dans les arbres. Aujourd'hui, on connaît mieux la grande majorité des espèces. Toutefois, nombre d'entre elles n'ont sans doute pas encore été découvertes. La forêt amazonienne recèle des milliers d'insectes que les chercheurs découvrent petit à petit. Dans les jungles du Sud-Est asiatique, il existe encore de grands animaux qui nous sont inconnus. C'est ainsi qu'à la fin du XXe siècle, il n'y a pas longtemps, on a découvert au Vietnam une antilope que personne n'avait jamais vue.

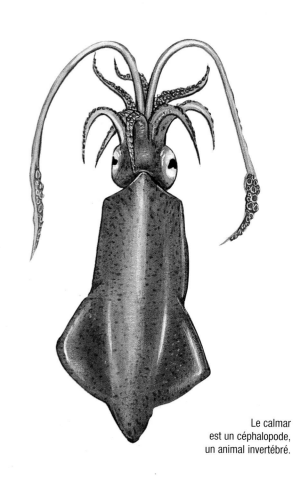

Le calmar
est un céphalopode,
un animal invertébré.

L'abeille est un insecte.
On estime qu'il existe plus
d'un million d'espèces d'insectes.

L'ÉTUDE DES ANIMAUX

Pour connaître les animaux, il ne suffit pas de savoir à quoi ils ressemblent ou ce qu'ils font. Il faut aussi étudier leur **mode de fonctionnement**, leurs origines et leurs parents. Tout cela a conduit la zoologie à se diviser en plusieurs autres branches, se consacrant chacune à un aspect particulier. En majorité, elles coïncident avec celles qui étudient l'être humain. Nous savons aujourd'hui que l'homme est un mammifère proche des gorilles et des chimpanzés.

Pour aborder l'étude de la zoologie, nous allons faire une brève description des principales branches qui s'y consacrent, puis nous décrirons ensuite les animaux.

Une des façons d'étudier les animaux est de les classer. La **systématique** est la classification hiérarchisée des êtres vivants. À plusieurs reprises, on avait tenté une classification, mais le système définitif, tel que nous le connaissons aujourd'hui, a été établi par un botaniste suédois du XVIIIᵉ siècle, Carl von Linné. Suivant sa méthode, nous allons diviser les animaux en deux grands groupes, les invertébrés et les vertébrés. Les premiers n'ont pas de vertèbres, les vers par exemple. Les seconds possèdent des vertèbres qui forment la colonne vertébrale, un oiseau, un chat ou un homme font partie de ce groupe.

L'ANATOMIE

Cette science étudie la structure des animaux et en particulier celle de la **cellule**, le plus petit élément organisé et vivant. Comme les briques qui servent à la construction d'une maison, les cellules forment les **tissus**. La **cytologie** est la science qui étudie la cellule sous tous ses aspects. Si tu es allé à l'hôpital pour te faire opérer, tu as peut-être entendu les médecins parler de cytologie. Ne crains rien, ils vont juste étudier certaines de tes cellules pour savoir ce que tu as.

Les êtres vivants constitués par une seule cellule sont des **protozoaires** qui composent un groupe indépendant, un **règne**. Les animaux qui forment le règne animal appartiennent aux **métazoaires** et sont tous **pluricellulaires**.

Les animaux les plus simples ont des tissus simples, mais ne possèdent pas d'organes. L'éponge en est un exemple. D'autres, en revanche, forment des structures spécialisées à partir de tissus eux aussi spécialisés. Apparaissent ainsi des **organes**, comme le cœur, les poumons ou l'estomac. Chacun d'entre eux a une fonction différente. Plusieurs organes se réunissent pour former un **système**, comme le système digestif (bouche, estomac, intestins, etc.) qui a pour but de traiter les aliments afin de nous nourrir.

Le congre est un
poisson téléostéen
très vorace. Sa chair
est très appréciée
des gourmets.

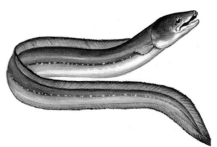

Le crocodile est un reptile qui, grâce à sa taille, sa force et sa ruse, ne connaît que peu d'ennemis.

LA PHYSIOLOGIE

C'est une science qui étudie le fonctionnement des êtres vivants et de leurs organes. Elle nous permet de savoir pour quelles raisons les poissons sont capables de respirer dans l'eau et les chameaux de traverser des déserts sans boire une goutte d'eau. La physiologie explique les transformations que subissent les aliments lors de leur passage dans le système digestif.

Comme chaque animal fonctionne d'une manière particulière, il peut y avoir des animaux dans toutes les parties du monde. L'ours polaire est constitué pour lutter contre le froid, même quand il dort sur la glace ; si on le transportait dans la jungle, la chaleur le ferait mourir. Le lézard qui court sur les murs ensoleillés se réfugie dans un trou à l'approche de l'hiver ; s'il devait se trouver dans un climat très froid, il finirait par succomber : son corps n'étant pas capable de produire assez de chaleur, il a besoin du soleil pour maintenir sa température.

LA REPRODUCTION ET L'HÉRÉDITÉ

Les animaux, tout comme les plantes, se reproduisent. Ils donnent naissance à de nouveaux êtres qui les remplaceront quand ils seront morts. Se reproduire et mourir sont les deux événements nécessaires à la survie des espèces. Si les animaux ne mourraient pas, la planète en serait complètement envahie et la place manquerait. Pour subsister, la vie a inventé la reproduction. Quand, par exemple, une grenouille pond des œufs qui donneront naissance aux têtards, cela signifie que l'espèce grenouille va continuer d'exister, même après la disparition de l'animal qui a pondu les œufs. Les nouvelles générations de grenouilles se transforment graduellement pendant des milliers ou des millions d'années. De nouvelles espèces de grenouilles apparaissent. Ce phénomène s'appelle « l'**évolution** ».

Depuis leur apparition sur Terre, les animaux ont évolué, c'est pourquoi nous pouvons en rencontrer une telle variété. L'homme s'est aussi transformé. Nos ancêtres, qui vivaient il y a des millions d'années, nous ressemblaient, mais étaient différents sur bien des points. Les différences de couleur de peau, de forme d'yeux ne sont que des détails, car nous appartenons tous à la même espèce **Homo sapiens.**

L'évolution est une transformation graduelle. Mais quand un animal subit une modification génétique brusque, c'est une **mutation** qui peut être bénéfique à l'animal.

Par exemple, si l'animal est un prédateur, un

De nombreux animaux de la savane, comme les zèbres, vivent en grands troupeaux pour dissuader, par leur nombre impressionnant, les éventuels prédateurs.

changement favorable sera le développement de sa puissance musculaire. Avec de meilleures aptitudes à la chasse, l'animal mieux nourri aura plus de petits, et la mutation génétique se transmettra à sa progéniture. La **génétique** est la science de l'hérédité qui étudie la transmission des caractères entre les générations.

Chaque cellule, tissu ou organe est produit par l'organisme d'une manière comparable à ce qui se passe dans une usine automobile. Il y a des plans et des instructions de montage et, à partir de différentes pièces, on arrive à construire un véhicule qui peut circuler. Pour les êtres vivants, les instructions que la génétique étudie se trouvent dans les **gènes** contenus dans le noyau des cellules, à l'intérieur de structures nommées **« chromosomes »**.

L'ÉCOLOGIE

L'écologie est aujourd'hui à la mode. En effet, nous voulons agir sans dégrader la nature et vivre de façon naturelle. L'écologie est la science qui étudie les relations des êtres vivants entre eux et avec leur environnement.

Grâce à l'écologie, nous savons que nous dépendons tous les uns des autres et que la Terre est une sorte d'immense bateau dont nous sommes tous des passagers. Peu importe qui est responsable du trou dans la coque (pour le trou dans la couche d'ozone, il s'agit précisément de nous, les êtres humains), parce que nous nous noierons tous ensemble si le bateau coule.

L'écologie étudie les rapports entre les animaux et les règles qui maintiennent un certain équilibre. Ainsi, il doit y avoir toujours plus d'herbivores (des brebis, par exemple) que de carnivores (comme les loups) car, dans le cas contraire, toutes les brebis sont dévorées et les loups disparaissent, faute de nourriture.

L'écologie étudie aussi la façon dont l'énergie solaire se transmet aux plantes puis aux animaux de la même façon que les nutriments. Les écologistes s'occupent également de l'étude des conditions de vie des différentes espèces pour comprendre leur répartition à la surface de la terre.

Les perroquets sont des animaux très sociables et certaines espèces ont la faculté de reproduire la parole humaine.

LA CELLULE ET LES TISSUS

Tous les êtres vivants sont constitués par de petits éléments fondamentaux appelés « cellules ». Elles sont si petites qu'on ne peut les voir à l'œil nu et pour les observer, un microscope est nécessaire. Les cellules s'unissent les unes aux autres pour former des **tissus** (comme des briques unies par du ciment forment un mur). Puis les tissus s'unissent à leur tour pour former des **organes** (comme le foie), les organes se groupent ensuite créant des **systèmes** (comme le système respiratoire). Enfin, les systèmes s'associent pour constituer un être vivant (par exemple un animal).

LA STRUCTURE D'UNE CELLULE

Toutes les cellules ont un grand nombre de caractères communs. Elles possèdent une enveloppe qui les recouvre et les sépare du milieu extérieur (comme la peau) appelée « **membrane plasmique** ». À l'intérieur de cette membrane se trouve une gelée, le **cytoplasme**, qui renferme tous les éléments contenus à l'intérieur de la cellule et qu'on nomme « **organites** ». Le **noyau** est l'organite le plus important, car il est responsable du bon fonctionnement de la cellule (comme le cerveau peut l'être pour le corps). Il y a d'autres organites tels que le **réticulum endoplasmique**, l'**appareil de Golgi**, les **ribosomes**, les **mitochondries**, les **vacuoles** et les **microtubules**.

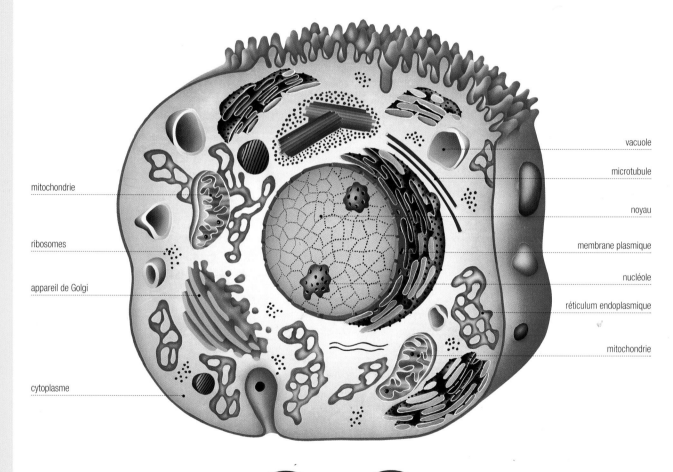

mitochondrie

ribosomes

appareil de Golgi

cytoplasme

vacuole

microtubule

noyau

membrane plasmique

nucléole

réticulum endoplasmique

mitochondrie

Les **mitochondries** fournissent l'énergie nécessaire aux activités de la cellule. Les **ribosomes** fabriquent les protéines. La cellule stocke des réserves dans les **vacuoles**.

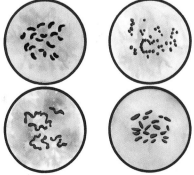

Les **bactéries** ne comportent pas de noyau comme les autres cellules. Elles possèdent bien tous les composants d'un noyau, mais ils ne sont pas dans un compartiment clos et flottent dans le **cytoplasme**.

Introduction

Anatomie et physiologie

Écologie

Invertébrés

Invertébrés.
Mollusques et
céphalopodes

Invertébrés.
Bivalves et
gastéropodes

Invertébrés.
Annélides

Invertébrés.
Arthropodes

Invertébrés.
Insectes et
échinodermes

Vertébrés

Vertébrés.
Poissons

Vertébrés.
Amphibiens

Vertébrés.
Reptiles

Vertébrés.
Oiseaux

Vertébrés.
Mammifères

Index

UNE CELLULE POUR CHAQUE FONCTION

Le corps d'un animal n'est pas constitué de cellules toutes semblables. Elles sont différenciées en fonction du travail qu'elles doivent effectuer. Les cellules des os servent à donner de la consistance au tissu. Les cellules des muscles doivent pouvoir se contracter. Les cellules du système nerveux sont capables de transmettre des messages, à la manière d'un fil de téléphone.

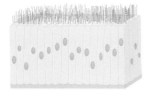

tissu de la peau

Un **tissu** ne se réduit pas à un ensemble passif de cellules. C'est un groupe de cellules qui agissent de manière coordonnée, toutes ensemble, pour obtenir un effet déterminé.

tissu musculaire

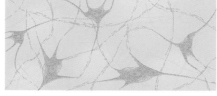

tissu nerveux

Les animaux possèdent plusieurs types de tissus dont chacun a une fonction particulière. Celui qui recouvre le corps, l'**épithélium**, est très résistant ; il protège le corps des agressions externes en empêchant la pénétration de bactéries et d'autres agents pouvant provoquer des infections. Le corps comporte aussi les tissus **osseux** (dont sont formés les os), **musculaires** (les muscles), **adipeux** (la graisse), **nerveux** (les nerfs et le cerveau), **conjonctif** (qui remplit les espaces et relie d'autres tissus) et le **sang** (qui transporte l'oxygène, les nutriments et les résidus de certains organes vers d'autres).

LES PRINCIPAUX TISSUS

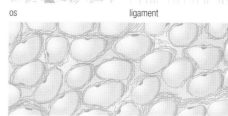

tendon   cartilage   os   ligament

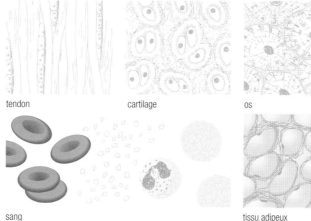

sang   tissu adipeux

DES ÊTRES VIVANTS UNICELLULAIRES

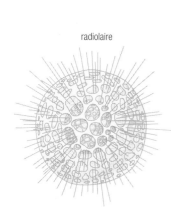

radiolaire

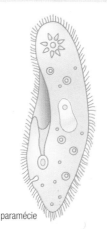

paramécie

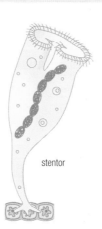

stentor

Les bactéries, les **protozoaires** et quelques champignons sont des êtres **unicellulaires**, c'est-à-dire formés d'une cellule unique. Les seuls êtres unicellulaires que l'on peut considérer comme des animaux sont les protozoaires. Ils ont la faculté de bouger et vivent dans presque toutes les eaux (mers, rivières, lacs, étangs) et lieux humides comme les prairies, tourbières.

LES ORGANES DES SENS

Pour survivre, tous les êtres vivants dépendent du milieu qui les entoure et leur procure nourriture et protection. Les animaux doivent percevoir leur environnement, détecter un prédateur pour se cacher ou fuir, repérer une proie pour l'attraper. Quels sont les moyens mis à la disposition des animaux par la nature ? Ils possèdent des organes spécialisés qui leur permettent d'appréhender et d'analyser des objets ou des phénomènes extérieurs. Ce sont les **organes des sens**. Les principaux sens sont : la **vue**, l'**ouïe**, le **toucher**, le **goût** et l'**odorat**. Chacun de ces organes capte des sensations spécifiques : les images, les sons, les sensations tactiles, les saveurs, et les odeurs.

LA VUE

Les vertébrés et certains invertébrés ont des structures qu'on appelle des « **yeux** » et qui captent les **images** des objets qui les entourent. À l'intérieur de l'œil se trouvent des cellules capables de distinguer la quantité de lumière qui leur parvient, les **couleurs** et les **formes**.

Lorsqu'elles captent ces stimuli, les cellules visuelles envoient des **influx nerveux** vers le cerveau pour lui transmettre les informations. Ainsi, les images se forment en réalité à l'intérieur du cerveau et non pas au niveau des yeux.

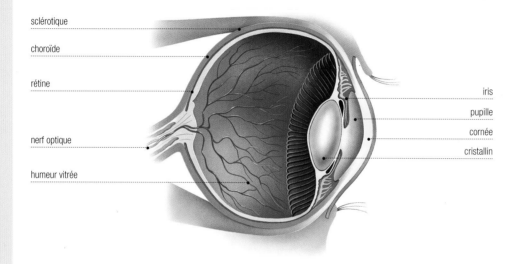

sclérotique
choroïde
rétine
nerf optique
humeur vitrée
iris
pupille
cornée
cristallin

Les **ocelles** sont des yeux très simples que possèdent certains animaux invertébrés. Ils ne sont pas aussi parfaits que ceux des vertébrés et ne peuvent que distinguer des différences de lumière et des formes floues.

L'OUÏE

L'ouïe capte les **sons** qui se produisent à une certaine distance. Lorsque quelqu'un fait un bruit, joue d'un instrument par exemple, il produit en réalité des vibrations dans l'air (comme des vagues) qui se propagent et parviennent à l'intérieur de l'oreille. Une membrane très fine (le **tympan**) détecte cette vibration et transmet un stimulus aux cellules auditives qui sont autour. L'information est envoyée au cerveau qui l'interprète comme un son. Si la membrane se rompt, nous ne pouvons pas capter ces vibrations et nous devenons sourds.

Les oiseaux, qui peuplent nos bois, ne peuvent pas toujours se voir à cause de l'écran formé par la végétation. Ils ont une ouïe très développée et chantent pour communiquer.

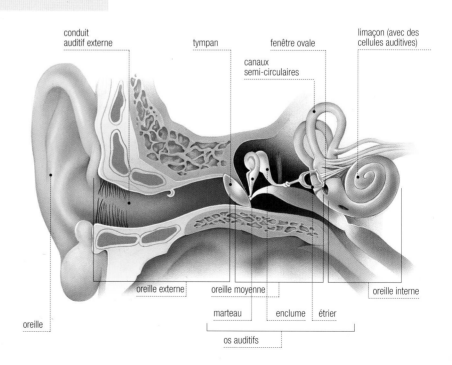

conduit auditif externe
tympan
fenêtre ovale
limaçon (avec des cellules auditives)
canaux semi-circulaires
oreille externe
oreille moyenne
oreille interne
oreille
marteau
enclume
étrier
os auditifs

L'ODORAT ET LE GOÛT

Les organes de l'odorat et du goût captent des **substances** chimiques invisibles (des molécules). Quand nous sentons une fleur, nous absorbons en réalité par le **nez** des molécules qui en émanent. Ces molécules sont ensuite conduites vers des cellules spécialisées du nez appelées « cellules olfactives ». Celles-ci envoient alors des influx nerveux au cerveau qui nous informe de quelle **odeur** il s'agit. Pour le goût, par lequel on perçoit les **saveurs**, le processus est identique, à la différence près que les cellules gustatives se trouvent sur la **langue**.

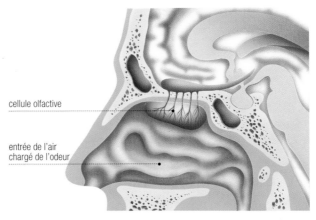

cellule olfactive

entrée de l'air
chargé de l'odeur

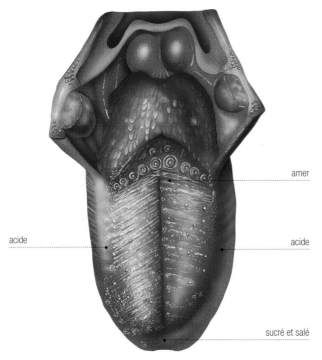

amer

acide

acide

sucré et salé

LE FLAIR

Les chiens, comme de nombreux autres mammifères, ont le sens de l'odorat particulièrement développé, car ils possèdent de nombreuses cellules olfactives dans les fosses nasales. Grâce à leur **flair**, ces animaux peuvent savoir qu'un autre animal ou une personne sont passés dans un endroit. Ils décèlent qui a été en contact avec un objet quelques heures plus tôt.

LE TOUCHER

La peau renferme des **terminaisons nerveuses** : ce sont les récepteurs de la pression, du toucher, de la chaleur, du froid et de la douleur.

Certaines parties du corps sont mieux dotées en terminaisons nerveuses que d'autres. Par exemple, le museau de la plupart des animaux, le bout des doigts des hommes et les antennes des insectes.

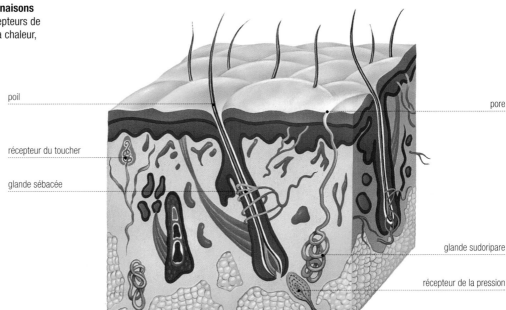

poil

pore

récepteur du toucher

glande sébacée

glande sudoripare

récepteur de la pression

LE SYSTÈME NERVEUX

Le système nerveux est un des deux systèmes les plus importants chez les animaux. Il leur permet d'avoir des relations avec leur milieu et donc de pouvoir se comporter de la façon la plus adéquate pour y vivre. Le cerveau, la moelle épinière et les nerfs en font partie.

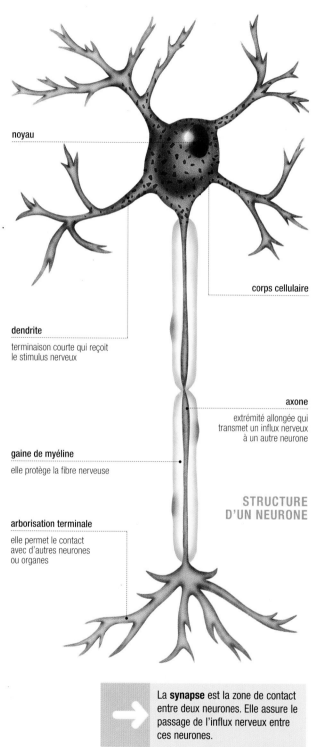

noyau

corps cellulaire

dendrite
terminaison courte qui reçoit le stimulus nerveux

axone
extrémité allongée qui transmet un influx nerveux à un autre neurone

gaine de myéline
elle protège la fibre nerveuse

arborisation terminale
elle permet le contact avec d'autres neurones ou organes

STRUCTURE D'UN NEURONE

La **synapse** est la zone de contact entre deux neurones. Elle assure le passage de l'influx nerveux entre ces neurones.

LES NERFS

Les nerfs sont des filaments qui mettent en relation les différents organes du corps avec le cerveau et la moelle épinière. À l'intérieur circulent les informations émanant de n'importe quelle partie du corps et qui aboutissent au cerveau. Ce dernier évalue alors la situation et, par l'intermédiaire d'autres nerfs (nerfs moteurs), il envoie à tous les organes, muscles et glandes, des ordres leur indiquant ce qu'ils doivent faire.

Les informations et les ordres qui circulent à travers les nerfs sont des **influx nerveux** proches du courant électrique qui permet d'allumer une ampoule et de faire fonctionner un téléviseur.

LES NEURONES

Les neurones sont les cellules spécialisées du système nerveux. Elles sont très allongées et certaines peuvent mesurer plus de cinquante centimètres de long. Leur partie centrale renferme un noyau. Elles ont des prolongements allongés, les axones, constitués de fibres nerveuses qui aboutissent aux arborisations terminales.

Les nerfs ou les cordons nerveux sont des ensembles de fibres nerveuses regroupées pour former un faisceau et entourées d'une gaine protectrice, un peu à la manière d'un câble électrique. Les ganglions nerveux sont des regroupements de synapses et ont une forme plus ou moins arrondie. Les nerfs et les ganglions permettent au système nerveux de fonctionner.

SCHÉMA DE LA SYNAPSE

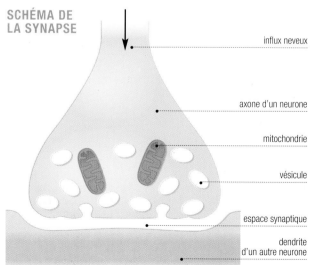

influx neveux

axone d'un neurone

mitochondrie

vésicule

espace synaptique

dendrite d'un autre neurone

LE CERVEAU

Le cerveau est l'organe chargé de coordonner le fonctionnement du corps. Il se trouve toujours placé dans la tête, et ce n'est pas par hasard. Presque tous les animaux se déplacent vers l'avant. La tête est donc la première partie du corps à faire face aux situations nouvelles qui se présentent. C'est dans la tête qu'il est le plus utile de concentrer les organes des sens. Un animal qui aurait les yeux au bout de la queue se cognerait aux obstacles avant de les voir. Les informations transmises par les organes des sens étant triées et ordonnées dans le cerveau, les réponses seront plus rapides si ces organes sont placés près de lui.

> Le cerveau et la moelle épinière forment le **système nerveux central**. Les autres nerfs du corps constituent le **système nerveux périphérique**.

> Les champignons comme les plantes ne possèdent pas de système nerveux ; il est exclusivement réservé au monde animal.

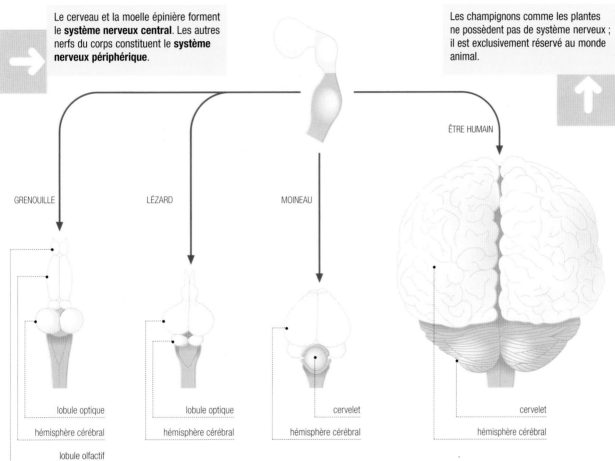

GRENOUILLE

LÉZARD

MOINEAU

ÊTRE HUMAIN

GRENOUILLE	LÉZARD	MOINEAU	ÊTRE HUMAIN
lobule optique	lobule optique	cervelet	cervelet
hémisphère cérébral	hémisphère cérébral	hémisphère cérébral	hémisphère cérébral
lobule olfactif			

LES TYPES DE SYSTÈMES NERVEUX

Les premiers animaux qui ont existé sur Terre n'avaient pas de système nerveux organisé. Au cours de l'évolution, des systèmes de plus en plus complexes sont apparus.

• Les éponges, des animaux très primitifs, ne possèdent que quelques cellules nerveuses isolées. Elles n'ont donc pas, à proprement parler, de système nerveux.

• Au stade suivant de l'évolution, des animaux, comme les étoiles de mer ou les vers plats, présentent un système nerveux rudimentaire formé par un réseau simple de neurones reliés entre eux. Ils n'ont pas de cerveau.

• À un niveau supérieur de l'évolution, les animaux présentent des faisceaux de nerfs et des ganglions bien développés. Le cerveau est constitué par un ou plusieurs ganglions dont la taille a augmenté.

• Les animaux les plus évolués sont les vertébrés (mammifères, oiseaux, reptiles, amphibiens et poissons). Ils ont des systèmes nerveux plus compliqués avec un cerveau volumineux et une grande capacité de réponse.

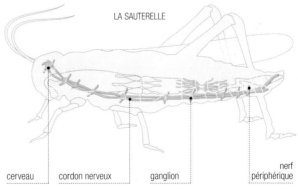

LA SAUTERELLE

cerveau   cordon nerveux   ganglion   nerf périphérique

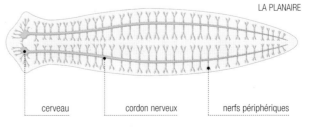

LA PLANAIRE

cerveau   cordon nerveux   nerfs périphériques

LE COMPORTEMENT

Nombreuses sont les personnes qui pensent que les comportements des animaux répondent aux mêmes raisons que celles des humains. Ils s'imaginent, par exemple, qu'un oiseau couve ses petits dans son nid par amour ou qu'un loup attaque des brebis parce qu'il est féroce.

PERPÉTUER L'ESPÈCE

Tous les comportements des animaux ont un motif et en particulier celui de perpétuer l'espèce. Dans la plupart des cas, le comportement animal est programmé génétiquement. Tout comme la couleur d'un animal est inscrite dans son **capital génétique**, il en va de même pour ses comportements.

Les oiseaux alimentent leurs petits, non par amour, mais pour perpétuer l'espèce.

LA COMMUNICATION

Les animaux possèdent différents systèmes pour transmettre des informations ou communiquer entre eux, que ce soit au moyen de la vue, de l'ouïe, de l'odorat ou du toucher. Généralement, la communication se produit entre des **individus de la même espèce**. Comme exemple de communication visuelle, on pourrait citer le cerf qui possède une tache blanche sur la partie postérieure du corps. Quand il n'y a pas de danger, la queue basse masque la tache. Mais lorsqu'un ennemi attaque, le cerf lève la queue et laisse apparaître le signal d'alerte pour ses congénères.

Les fourmis communiquent à leurs semblables l'endroit où se trouve la nourriture en laissant sur le sol une trace chimique qui les y conduit.

LA REPRODUCTION

Il y a des animaux, parmi les plus évolués, qui prennent soin de leur progéniture comme les loups et tous les mammifères. D'autres, telle la majorité des grenouilles et des invertébrés, abandonnent leurs œufs après la ponte. Comme ils en pondent beaucoup, certains parviennent à survivre.

Pour que la **reproduction sexuée** aboutisse, il faut que deux individus, un mâle et une femelle, s'accordent. La **fécondation** est alors possible. Ainsi, la truite mâle doit aussitôt déposer ses spermatozoïdes sur les œufs que la femelle a pondus dans l'eau, sinon ils ne seront pas fécondés et ne donneront naissance à aucun alevin. Mais comment le mâle sait-il que la femelle va pondre ? Généralement, il est averti par certains changements chez la femelle, une modification de la couleur du corps par exemple.

DÉFENDRE LE TERRITOIRE

De nombreux animaux s'approprient un espace déterminé où ils vont habiter, se nourrir et se reproduire. Ils interdisent ce **territoire** à leurs congénères pour préserver leurs ressources (abri, nourriture…).

L'ours griffe un tronc d'arbre pour indiquer les limites de son territoire.

Dans la jungle, les singes poussent des cris pour empêcher un autre groupe de pénétrer sur leur territoire.

Les aigles survolent leur territoire pour en éloigner leurs semblables.

Parmi les animaux qui possèdent un territoire, on compte les hippopotames, les tigres et les aigles. Il arrive que le territoire soit occupé par un groupe.

L'éthologue **Konrad Lorenz,** après une étude approfondie du comportement des oies, est arrivé à la conclusion suivante : une oie sortant de l'œuf considère le premier être visible comme sa mère. Dans la nature, c'est toujours la mère que voit d'abord un petit ; ainsi, il n'y a jamais de confusion. Cependant, dans une ferme, quand les œufs éclosent en couveuse artificielle, c'est parfois une personne que le poussin voit en premier. Dans ce cas, il croira que cette personne est sa mère et la suivra partout.

L'hippopotame vit sur les rives des cours d'eau et des lacs où il trouve sa nourriture.

L'ÉTHOLOGIE

L'éthologie est la science qui étudie le comportement animal. Elle est très récente et compliquée. On ignore la plupart des raisons pour lesquelles les animaux se comportent comme ils le font.

Le caméléon change de couleur de peau pour se fondre dans son environnement et passer inaperçu. Cette propriété est appelée « **mimétisme** ».

LES SYSTÈMES ENDOCRINIENS

Les **hormones** sont de grosses molécules produites par le corps. Elles se déversent dans le flux sanguin et sont transportées par le sang vers les différentes parties du corps. Lorsqu'elles parviennent à leur organe-cible, elles agissent pour le mettre en marche ou l'arrêter.

Le **système endocrinien** est l'ensemble des glandes endocrines et des tissus spécialisés qui fabriquent les hormones. Il ne s'agit pas d'un seul organe, mais de glandes réparties dans tout le corps et qui appartiennent à différents organes. Ces glandes ont des fonctions importantes et spécifiques.

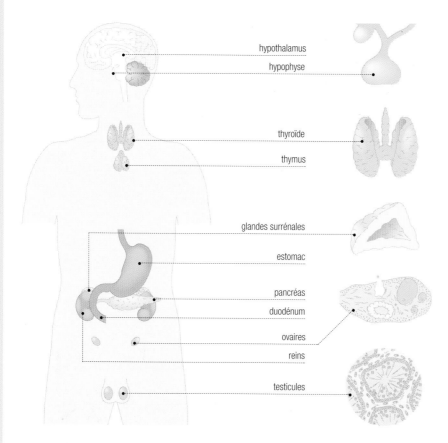

hypothalamus
hypophyse
thyroïde
thymus
glandes surrénales
estomac
pancréas
duodénum
ovaires
reins
testicules

LES GLANDES

Les glandes sont des tissus spécialisés qui produisent les hormones. La **thyroïde**, qui se trouve dans le cou, est l'une des plus importantes. Elle produit une hormone, la **thyroxine**, qui contrôle le **métabolisme**. Si la thyroïde fonctionne mal et produit trop d'hormones, le métabolisme s'accélère, nous maigrissons beaucoup et sommes très nerveux. Si, en revanche, la production d'hormones est insuffisante, le métabolisme ralentit, des retards de croissance se produisent et nous prendrons beaucoup de poids, même en mangeant très peu.

L'INSULINE

L'insuline est une hormone parmi les plus importantes, car elle régule le taux de sucre dans le sang. Elle est produite par le **pancréas**. Lorsqu'il n'y a pas assez d'insuline dans le sang, la personne est diabétique et elle doit s'en injecter à l'aide d'une seringue.

UNE RÉACTION EN CHAÎNE

Certaines hormones ne sont pas destinées à un organe, mais à une autre glande où elles déclenchent la fabrication d'une nouvelle hormone qui, à son tour, agit sur une troisième glande afin de produire une autre hormone, et ainsi de suite.

HORMONES

Les hormones sont des messagers chimiques responsables du fonctionnement d'un organe qui doit donc recevoir une quantité suffisante d'hormones.

LES GLANDES ET LES HORMONES QU'ELLES PRODUISENT

Type	Hormones produites	Effets	Effets d'un manque
Hypophyse	TSH Prolactine Hormone de croissance	Stimule la thyroïde Production de lait Croissance	Manque de lait Nanisme
Thyroïde	Thyroxine	Stimule la respiration	Goitre, crétinisme
Cortico-surrénale	Cortisone	Contrôle le métabolisme de l'eau	Maladie d'Addison
Médullo-surrénale	Adrénaline	Contrôle la pression sanguine et le rythme cardiaque	Incapacité de faire face au danger
Pancréas	Insuline	Transforme le glucose	Diabète
Testicules	Testostérone	Caractéristiques masculines	Défaut de caractéristiques masculines
Ovaires	Progestérone	Agit pendant la gestation	Provoque des avortements

Introduction

Anatomie et physiologie

Écologie

Invertébrés

Invertébrés.
Mollusques et
céphalopodes

Invertébrés.
Bivalves et
gastéropodes

Invertébrés.
Annélides

Invertébrés.
Arthropodes

Invertébrés.
Insectes et
échinodermes

Vertébrés

Vertébrés.
Poissons

Vertébrés.
Amphibiens

Vertébrés.
Reptiles

Vertébrés.
Oiseaux

Vertébrés.
Mammifères

Index

QUELLES FONCTIONS ASSURE LE SYSTÈME ENDOCRINIEN ?

La croissance, le corps qui change à la puberté, le fait de ressentir la peur, l'excitation… sont quelques-uns des processus partiellement contrôlés par les hormones. Quand un animal herbivore voit un prédateur, ses glandes surrénales se mettent à produire de l'**adrénaline**.

Cette hormone accélère le fonctionnement du cœur, augmentant ainsi le taux d'oxygène et de sucre dans le sang. Ceci améliore l'efficacité des muscles des jambes et permet donc à l'animal de courir plus vite.

prédateur

proie

→ Le système nerveux dirige et coordonne à un niveau supérieur toutes les activités de l'organisme. Mais au lieu d'utiliser des hormones, qui sont des messagers chimiques, il envoie des influx nerveux.

LES PHÉROMONES

Les phéronomes sont des hormones de la communication qui, au lieu de circuler à l'intérieur du corps, sont émises par un individu dans le milieu extérieur. Ce sont des signaux qui provoquent chez un congénère des comportements spécifiques. Par exemple, quand un insecte femelle cherche à se reproduire, il rejette dans l'air une phéromone qui attire les mâles pouvant se trouver à plusieurs kilomètres de là.

↓ On utilise les phéromones pour capturer des papillons. Il suffit de placer une petite quantité de phéromones féminines à l'intérieur d'un piège. Les mâles sont attirés et se font prendre.

LA NUTRITION

Pour que l'organisme d'un animal fonctionne, c'est-à-dire qu'il vive, il a besoin d'**énergie**. Grâce à elle, les cellules pourront se reproduire et croître, les tissus se développer pour constituer les différentes parties de son corps, les muscles se contracter pour la locomotion. Cette énergie est apportée par les **aliments** qui sont des matières organiques que tous les animaux absorbent après les avoir tirées de leur environnement. Ces aliments peuvent être des plantes ou d'autres animaux.

LES CELLULES S'ALIMENTENT AUSSI

Pour qu'un animal ne meure pas, il faut que ses cellules vivent. Par conséquent, celles-ci doivent se nourrir. Grâce au **sang** qui leur parvient dans les capillaires, elles reçoivent des **substances nutritives (nutriments)** que l'organisme a préparées. Pour passer du sang à l'intérieur de la cellule, les substances traversent la membrane cellulaire. D'autres substances sont rejetées en fonction de leur taille ou de leur composition.

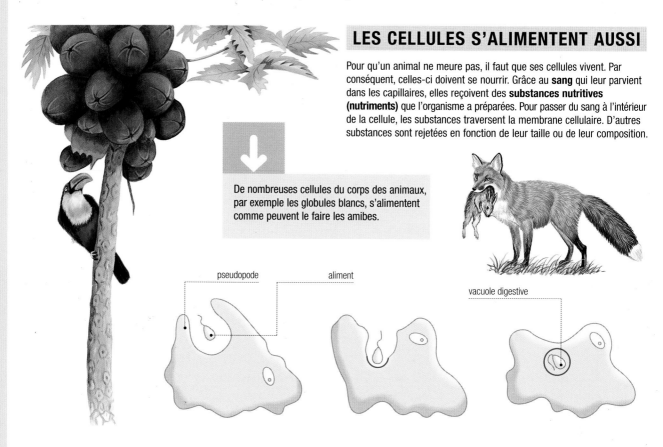

De nombreuses cellules du corps des animaux, par exemple les globules blancs, s'alimentent comme peuvent le faire les amibes.

pseudopode   aliment

vacuole digestive

L'APPAREIL DIGESTIF DE LA PALOURDE

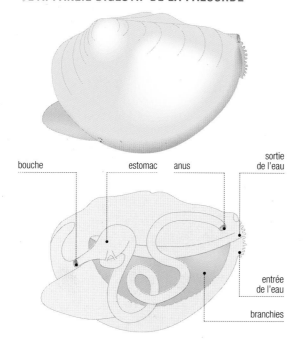

bouche   estomac   anus   sortie de l'eau

entrée de l'eau

branchies

LA VIE DANS L'EAU

Un grand nombre d'animaux aquatiques se nourrissent sans changer de place. Ils attendent que l'eau dans laquelle ils baignent leur apporte directement la nourriture. C'est le mode alimentaire de la palourde et de la moule. L'animal a un appareil digestif très simple, en forme de tube muni d'une entrée pour l'eau et d'une sortie. Les particules alimentaires contenues dans l'eau (par exemple de petits fragments d'algues et des protozoaires) restent collées aux branchies. Cette pâte passe alors dans la bouche, puis l'animal la digère. Il est nécessaire pour l'animal de vivre dans des eaux riches en nutriments.

Les animaux qui se nourrissent de particules en suspension dans l'eau ou dans l'air sont des animaux filtreurs, comme les moules.

L'APPAREIL DIGESTIF DE L'ABEILLE

Les abeilles sont des invertébrés dont la nourriture se compose du **pollen** des fleurs. Leur appareil digestif est plus compliqué que celui de la moule. Pour récolter le pollen, elles ont un appendice buccal tabulaire, en forme de trompe, comme les papillons. Elles sont pourvues d'organes qui transforment chimiquement les aliments pour pouvoir les digérer.

La **digestion** transforme les aliments en substances nutritives (lipides, protides, glucides). C'est possible grâce aux **sucs digestifs** produits par l'organisme.

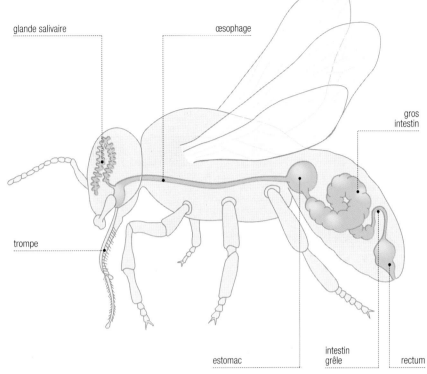

glande salivaire

œsophage

gros intestin

trompe

estomac

intestin grêle

rectum

L'APPAREIL DIGESTIF DES MAMMIFÈRES

Chez les animaux mammifères, y compris les êtres humains, l'appareil digestif est plus complexe que chez les invertébrés. La nourriture est broyée dans la **bouche**. Puis, dans l'**estomac**, elle est malaxée et se mélange aux sucs gastriques. Dans l'**intestin**, la nourriture devient une pâte à laquelle viennent s'ajouter de nouveau sucs digestifs qui la transforment en **lipides**, **glucides** et **protides**. Les parois de l'intestin absorbent les produits de la digestion et le sang les fait parvenir aux cellules.

glande salivaire

dents

langue

pharynx

œsophage

pancréas

vésicule biliaire

duodénum

estomac

intestin grêle

gros intestin

appendice

rectum

anus

Le foie, la vésicule biliaire, le pancréas et l'estomac produisent des **sucs** dont le rôle est de digérer les aliments.

LES SYSTÈMES CIRCULATOIRES

Dans le corps d'un animal, le **cœur** envoie, à travers les **artères**, le sang qui apporte à tous les tissus les nutriments et l'oxygène dont ils ont besoin. Le sang chargé de déchets parvient ensuite dans les **veines** qui le véhiculent vers les organes où il se purifiera.

LE SANG

À la suite d'une piqûre ou d'une blessure, un liquide rouge apparaît. C'est du sang. Mais si c'est une lingule qui est blessée, son sang sera incolore. Pour un ver de terre, il sera vert, et pour un crabe, bleu en général. Cette coloration est due aux pigments qui se trouvent dans le sang et qui peuvent être de couleurs différentes selon les animaux. Chez certains vers ou mollusques et chez tous les vertébrés, il est rouge avec des nuances. Chez tous les animaux, et quelle que soit sa couleur, le sang accomplit la même fonction qui est de transporter l'**oxygène**, les **nutriments** et les **déchets**.

Les **globules rouges** se chargent du transport de l'**oxygène** dans le sang.

Une des fonctions des **globules blancs** est de protéger l'organisme contre les infections.

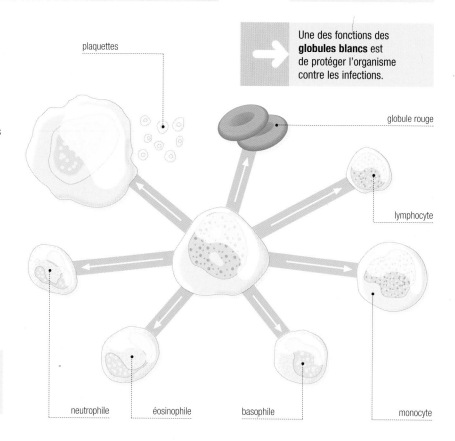

plaquettes

globule rouge

lymphocyte

neutrophile   éosinophile   basophile   monocyte

Les **plaquettes** permettent la coagulation du sang et la cicatrisation des blessures.

LES SYSTÈMES OUVERTS DES INSECTES

LE SYSTÈME CIRCULATOIRE DE LA SAUTERELLE

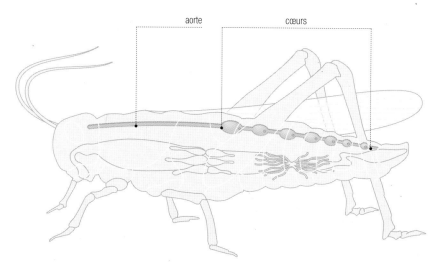

aorte   cœurs

Chez les insectes, le sang circule dans des vaisseaux sanguins, mais seulement dans une partie limitée de leur organisme. Le circuit sanguin n'est pas fermé, mais ouvert à une extrémité. Le sang passe ensuite dans une cavité, qui occupe une partie du corps, y circule librement, puis repart dans les vaisseaux. Pour que le sang puisse circuler, l'insecte possède plusieurs cœurs qui ne sont que de simples renflements d'un vaisseau principal.

Le sang des insectes ne transporte pas d'oxygène puisqu'il y a de petits canaux qui le conduisent directement aux cellules depuis l'extérieur.

LES SYSTÈMES FERMÉS DES VERTÉBRÉS

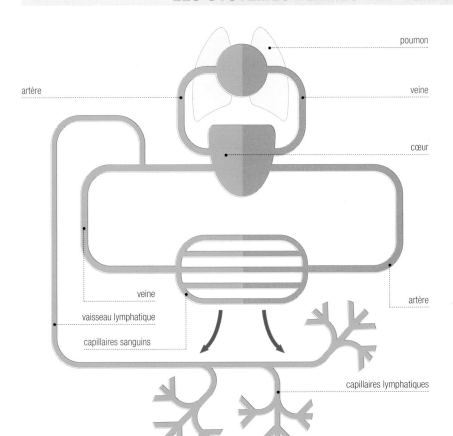

poumon

artère

veine

cœur

veine

vaisseau lymphatique

capillaires sanguins

artère

capillaires lymphatiques

Chez les poissons comme chez les amphibiens et tous les vertébrés, les vaisseaux sanguins ne sont pas ouverts aux extrémités ; ils forment un circuit fermé continu. Ce système est plus efficace que le système ouvert des insectes.

Les **artères** transportent le sang riche en oxygène provenant des poumons. Les **veines** évacuent le sang pauvre en oxygène vers les poumons.

LE CŒUR

Le cœur est un organe destiné à envoyer le sang à travers les veines et les artères. Les animaux les plus simples, comme les vers, ont un cœur qui n'est qu'un renflement du vaisseau principal ; celui-ci, en se contractant, expulse le sang. Pour les vertébrés, le cœur est un organe musculeux, qui peut avoir plusieurs cavités, et dont le rôle est de faire circuler le sang. Les battements que nous ressentons se produisent chaque fois que le cœur expulse le sang.

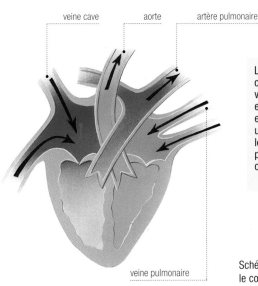

veine cave
aorte
artère pulmonaire

veine pulmonaire

SYSTOLE VENTRICULAIRE

Le cœur des poissons a deux cavités : une oreillette et un ventricule. Chez les amphibiens et la majorité des reptiles, il en a trois : deux oreillettes et un ventricule. Certains reptiles, les oiseaux et les mammifères possèdent quatre cavités : deux oreillettes et deux ventricules.

Schéma de la circulation sanguine dans le cœur quand il se contracte (systole) et quand il se dilate (diastole).

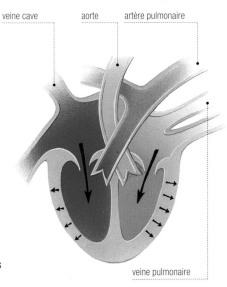

veine cave
aorte
artère pulmonaire

veine pulmonaire

DIASTOLE VENTRICULAIRE

LA RESPIRATION

Toutes les cellules animales respirent : elles absorbent de l'**oxygène** et rejettent du **dioxyde de carbone**. La respiration est une fonction vitale qui permet de capter l'oxygène utilisé par les cellules pour produire de l'énergie, et d'éliminer le dioxyde de carbone produit par ce processus.

oxygène   dioxyde de carbone   eau

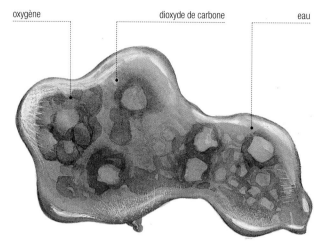

Une amibe qui vit dans l'eau respire à travers sa membrane cellulaire.

 Les éponges utilisent leurs pores aussi bien pour respirer que pour s'alimenter et se débarrasser de certaines substances.

RESPIRER PAR LA PEAU

Quand un animal est très petit, presque toutes ses cellules sont en contact avec la peau ou une membrane externe. Elles peuvent ainsi absorber directement l'oxygène se trouvant à l'extérieur sans avoir besoin d'un organe particulier pour le faire. Ceci concerne essentiellement les animaux aquatiques. Ceux qui vivent sur terre ont une peau plus épaisse destinée à leur éviter les pertes d'eau. Mais cette peau empêche aussi l'oxygène de pénétrer.

PEAU ET POUMONS

Certains vertébrés comme les grenouilles ont des poumons. Mais ils respirent aussi à travers leur peau qui doit donc toujours rester humide.

LA RESPIRATION DANS L'EAU

Le poisson est le meilleur exemple d'animal qui respire dans l'eau. L'oxygène est dissous dans ce milieu, mais il se trouve dans des proportions inférieures à celles dans l'air. L'air est un mélange d'oxygène et de divers gaz. Les poissons possèdent des **branchies** à la place des poumons, mais leur fonctionnement est similaire : ce sont des membranes très fines dont les cellules laissent pénétrer l'oxygène présent dans l'eau pour ensuite le faire passer dans le sang.

bouche

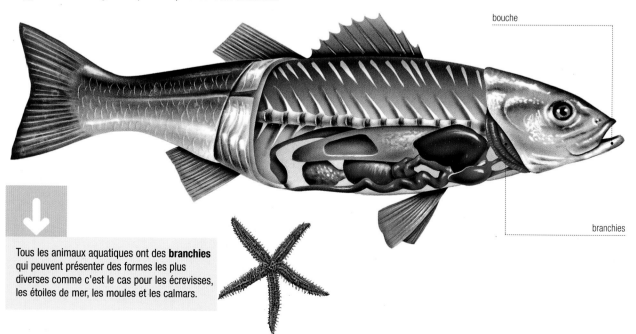

branchies

 Tous les animaux aquatiques ont des **branchies** qui peuvent présenter des formes les plus diverses comme c'est le cas pour les écrevisses, les étoiles de mer, les moules et les calmars.

Bien que la salamandre, le serpent corail, l'épervier et la souris soient des animaux très différents, ils respirent tous par des poumons.

LES TRACHÉES

C'est le système utilisé par les insectes pour les échanges gazeux. Les trachées sont des tubes étroits dont les parois sont perméables aux gaz. Elles se ramifient pour devenir de minuscules canaux qui apportent l'oxygène aux cellules. Ces tubes s'ouvrent vers l'extérieur par les **stigmates**, des orifices disposant d'une valve et de muscles qui permettent à l'animal de l'ouvrir ou la fermer.

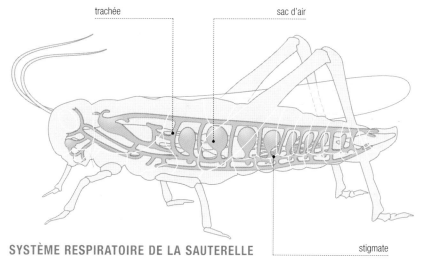

trachée   sac d'air

stigmate

SYSTÈME RESPIRATOIRE DE LA SAUTERELLE

Le système des trachées ne peut fonctionner que si l'animal est de petite taille, comme un insecte. S'il était plus grand, son propre poids arriverait à les boucher.

LES POUMONS

Ce sont les deux sacs qui se trouvent à l'intérieur du corps des vertébrés terrestres (amphibiens, reptiles, oiseaux et mammifères). Ils sont reliés à l'extérieur par un tube aboutissant à la bouche. En se dilatant ou en se comprimant, ils se remplissent ou se vident d'air. Les **alvéoles** des poumons sont tapissées d'une membrane mince supportant un réseau abondant de capillaires sanguins. C'est là que le sang se charge d'oxygène et abandonne le dioxyde de carbone.

APPAREIL RESPIRATOIRE DE L'HOMME

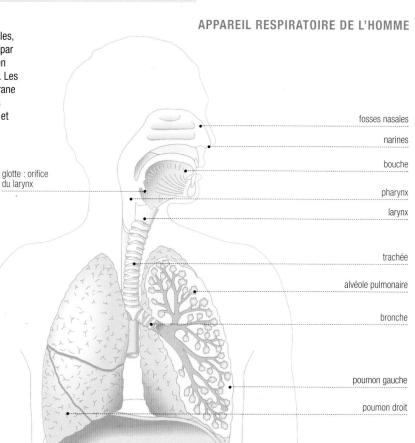

glotte : orifice du larynx

fosses nasales

narines

bouche

pharynx

larynx

trachée

alvéole pulmonaire

bronche

poumon gauche

poumon droit

La grenouille fait entrer l'air dans ses poumons en exerçant une pression avec sa bouche. L'homme a un système plus efficace : ce sont des muscles qui dilatent ou compriment ses poumons.

L'EXCRÉTION

Tous les animaux doivent s'alimenter pour obtenir de l'extérieur des substances nutritives. Après la digestion, les nutriments se retrouvent dans le sang. Les cellules les utilisent pour en tirer de l'énergie et créer leur propre matière. Grâce à l'oxygène apporté par la respiration, les cellules sont le siège de réactions chimiques. Toute cette activité produit des déchets toxiques qui ne peuvent être stockés. Il faut les évacuer à l'extérieur. C'est ce qu'on appelle l'« excrétion ».

UNE POMPE PRIMITIVE

Les protozoaires sont des organismes unicellulaires plus primitifs que les animaux. Pour éliminer leurs résidus, ils font appel à des solutions très simples. L'excès de substances dissoutes dans le liquide cellulaire est rejeté à l'extérieur à travers la membrane. Mais cette opération n'est pas possible pour l'eau. Pour y remédier, les protozoaires disposent d'une **vacuole contractile** qui récupère l'eau en excès puis l'évacue.

 La vacuole rejette l'eau à l'extérieur en consommant de l'énergie.

 Le passage des substances à travers la membrane se fait par diffusion.

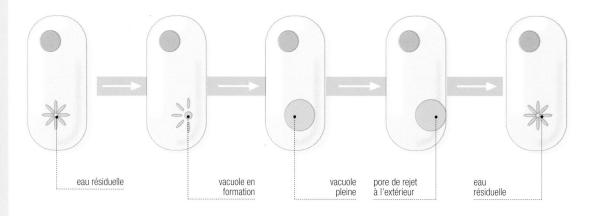

eau résiduelle

vacuole en formation

vacuole pleine

pore de rejet à l'extérieur

eau résiduelle

La vacuole contractile d'une amibe se forme au fur et à mesure que la quantité d'eau en excès augmente. Elle disparaît quand toute cette eau est éliminée.

L'EXCRÉTION CHEZ LA SAUTERELLE

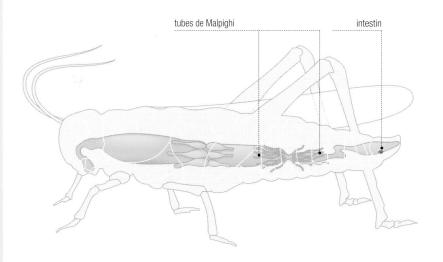

tubes de Malpighi

intestin

Les invertébrés terrestres, comme la sauterelle et d'autres insectes, doivent évacuer leurs déchets sans perte d'eau. Ils ont un système excréteur formé de cellules baignées par le sang qui circule à travers le corps. Ces cellules absorbent les résidus, mais très peu d'eau. Elles forment des tubes allongés, les **tubes de Malpighi**, qui débouchent dans l'intestin où les déchets s'accumulent pour ensuite être évacués à l'extérieur sous forme solide.

 L'appareil excréteur des insectes est constitué par les **tubes de Malpighi**.

 Les invertébrés aquatiques éliminent leurs déchets par des tubes qui relient l'intérieur de leur corps à l'extérieur.

LE REIN

Le rein est le principal organe du système excréteur des vertébrés. Que ce soit chez les poissons ou les mammifères, le rein fonctionne d'une manière semblable, même si le plus perfectionné est celui des mammifères. Chacun de nos deux reins est formé par un million d'unités fonctionnelles, les **néphrons**. Leur travail consiste à filtrer le sang, à en retirer les déchets et à produire l'**urine**, un liquide permettant de les évacuer à l'extérieur.

L'urine est le liquide résultant de la filtration du sang. Il est destiné à être expulsé avec les déchets.

Les chiens marquent avec de l'urine le territoire qu'ils veulent dominer.

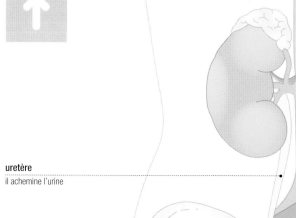

cortex
il abrite les néphrons

médulla
elle abrite les néphrons

bassinet
cavité centrale du rein qui recueille l'urine produite

uretère
il achemine l'urine

vessie
elle sert de réservoir à l'urine

urètre
il conduit l'urine à l'extérieur du corps

Le moineau est un oiseau.

De nombreux reptiles et la totalité des oiseaux produisent une urine semi-solide, mais celle des mammifères est liquide.

La tortue marine est un reptile.

LA REPRODUCTION

De nombreuses plantes et organismes unicellulaires se multiplient en se divisant ou en détachant des parties de leur corps qui grandissent pour donner de nouveaux individus. C'est ce que l'on appelle la « **reproduction asexuée** » parce que l'union de deux individus n'est pas nécessaire pour la formation d'un nouvel être. Certains animaux inférieurs, comme les vers et les étoiles de mer, se reproduisent de la même manière. Chez la plupart des animaux, il y a fécondation. Cela signifie qu'un mâle et une femelle doivent **fusionner** leurs cellules sexuelles pour donner naissance à un nouvel individu.

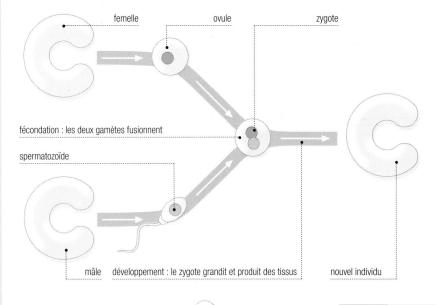

femelle   ovule   zygote

fécondation : les deux gamètes fusionnent

spermatozoïde

mâle   développement : le zygote grandit et produit des tissus   nouvel individu

LES GAMÈTES

Les cellules que fabriquent les animaux spécialement pour se reproduire sont les **cellules sexuelles** ou **gamètes**. Les mâles produisent des gamètes qui portent le nom de « **spermatozoïdes** », et les femelles des gamètes appelés « **ovules** ».

Certains protozoaires s'unissent mais, au lieu de fusionner, ils échangent leurs noyaux. Quand ils se séparent, ils restent différents, comme ils l'étaient au début.

D'autres protozoaires fusionnent complètement, comme s'ils étaient des gamètes au lieu d'être des individus adultes. Ils font naître ainsi un nouveau protozoaire.

LA FÉCONDATION

Quand un spermatozoïde **fusionne** avec un ovule, cela signifie que le spermatozoïde **féconde** l'ovule. La fusion des deux gamètes forme une **cellule-œuf** ou **zygote**, point de départ d'un individu nouveau. Toutes les informations génétiques se combinent et l'être engendré ressemblera au mâle et à la femelle. Il sera une combinaison des caractéristiques appartenant à eux deux.

frégate femelle

frégate mâle

MÂLE ET FEMELLE

Chez les animaux comme chez les hommes, le mâle et la femelle ont un aspect différent.

La frégate est un oiseau de mer dont la parade nuptiale est curieuse. Pour attirer la femelle, le mâle gonfle de façon spectaculaire la poche qu'il possède sur la gorge.

CEUX QUI PONDENT DES ŒUFS

La majorité des invertébrés et de nombreux vertébrés se reproduisent au moyen des œufs ; le nouvel individu grandit à l'intérieur de l'enveloppe de l'œuf et, quand il est parvenu au terme de son développement, il brise la coquille et en sort.

Les oiseaux se reproduisent en pondant des œufs. On dit qu'ils sont ovipares.

Ce scarabée pond ses œufs dans le sol.

LES VIVIPARES

Tous les mammifères et quelques autres animaux mettent au monde des petits vivants. C'est pour cela qu'on les appelle « vivipare ». Le petit se développe à l'intérieur du corps de la mère et, quand il est en mesure de vivre, la naissance se produit. Chez les mammifères, le petit est alimenté par le **lait** maternel.

Les taupes vivent sous terre. Dans son nid, la femelle a une portée qui varie entre trois et cinq petits.

PEU ET BEAUCOUP

Les mammifères ont peu de petits, parfois un seul, alors que les insectes ou les poissons pondent des milliers d'œufs.

LE DÉVELOPPEMENT

Depuis la fusion des deux gamètes, masculin et féminin, jusqu'à la naissance de l'animal, différentes étapes se succèdent. Tout commence par le **zygote** qui, au bout d'un certain temps, devient un **embryon**. Chez les animaux ovipares, la transformation a lieu dans l'œuf jusqu'à son éclosion. Il arrive que le petit naisse semblable à l'adulte, mais parfois il change de forme à plusieurs reprises avant d'y parvenir, comme c'est le cas pour les abeilles et les grenouilles. Chez les mammifères, l'embryon se nourrit dans le corps de la mère où il devient un individu qui, à la naissance, ressemblera à l'adulte.

DU ZYGOTE À L'EMBRYON

Le zygote commence à se **diviser**, sans augmenter de taille, pour finir par être constitué d'un grand nombre de nouvelles cellules identiques. L'ensemble a pris l'aspect d'une mûre : c'est la **morula**. Il se produit alors un changement très important. Plusieurs de ces cellules deviennent des **tissus primitifs** et l'embryon se forme. Chacun de ces tissus donnera naissance plus tard aux différents **tissus spécialisés** constituant l'animal (les muscles, les nerfs, les os…).

→ La **croissance** est le temps qui s'écoule entre la formation de l'embryon et l'animal adulte.

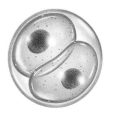
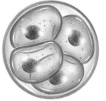

Le zygote se divise en cellules plus petites.

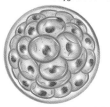

Ensemble des cellules qui à pris l'aspect d'une mûre.

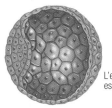

L'embryon est formé.

LE DÉVELOPPEMENT DE L'ABEILLE

Les abeilles sont des insectes qui subissent plusieurs transformations depuis l'œuf jusqu'à leur état adulte. La **reine** pond un œuf dans un **alvéole** (1). De cet œuf naît une **larve** (2) qui grandit et se nourrit. À un moment donné, la larve s'immobilise et son corps connaît de grands changements ; elle est à l'état de **nymphe** (3). La nymphe développe les différentes parties de son anatomie définitive. Une fois achevée, l'**abeille adulte** (4) s'extrait de son alvéole (5).

← La série de transformations que connaît cette abeille est la **métamorphose**.

DU TÊTARD À LA GRENOUILLE

Certains vertébrés subissent de grandes transformations du stade embryonnaire à l'état adulte. La grenouille en est un exemple. En observant le dessin, on voit que ses œufs transparents reposent au fond de l'eau. Il en sort un petit animal pourvu d'une queue qui ressemble à un poisson. C'est un **têtard**. Ses frères, plus grands, ont déjà des pattes postérieures, et un autre, plus âgé encore, est pourvu de quatre pattes, mais conserve encore la queue. Cette queue rétrécit ensuite. Le têtard commence à sortir la tête hors de l'eau pour respirer à l'air libre. Finalement, la queue disparaît et la peau prend sa coloration définitive, comme on peut le voir sur la grenouille de l'illustration qui est assise sur une feuille de nénuphar et a achevé sa transformation.

Les transformations que subit la grenouille sont aussi appelées « **métamorphoses** ».

L'ÉDUCATION DES PETITS

La plupart des mammifères, de la naissance à l'âge où ils sont capables de se débrouiller seuls, passent des mois ou des années aux côtés de leurs parents. Ils apprennent les comportements propres à l'espèce et les activités indispensables comme chasser, identifier les ennemis, distinguer les plantes comestibles. Le jeu fait aussi partie de cet enseignement, comme chez les humains.

Les insectes naissent avec les mêmes comportements que les adultes. Quant aux mammifères, ils doivent les acquérir.

L'HÉRÉDITÉ

Jusqu'au milieu du XIXe siècle, tout le monde savait que les enfants ressemblaient à leurs parents, mais qu'ils n'étaient pas identiques. Les jardiniers avaient aussi constaté qu'un croisement entre des plantes à fleurs rouges et des plantes à fleurs blanches donnait des fleurs roses. Par la suite, les fleurs rouges et les fleurs blanches revenaient, mais personne n'expliquait pourquoi.

LES MATÉRIAUX DE L'HÉRÉDITÉ

La couleur des cheveux, la forme du nez, la taille ainsi que toutes les autres caractéristiques d'une personne, de n'importe quel animal ou d'un végétal, sont dues aux instructions inscrites à l'intérieur du noyau des cellules. Ces instructions sont comme des lettres capables de former des mots plus ou moins longs. Chaque mot est un **gène** (il indiquera la couleur des yeux ou celle des cheveux). Toutes les lettres et tous les mots formés sont enroulés en une double hélice constituant la longue molécule d'**ADN**. L'ADN n'est pas isolé dans la cellule, mais contenu dans les **chromosomes**, sortes de petits bâtonnets.

L'organisme fabrique des cellules et des tissus en suivant les instructions que lui fournissent les gènes.

Chaque espèce animale a un nombre fixe de **chromosomes**.

La structure de l'ADN.

Le moine Gregor Mendel faisait, dans le jardin de son monastère, des expériences sur les pois en cultivant des variétés différentes. Il put vérifier la transmission de certains caractères d'une génération à l'autre.

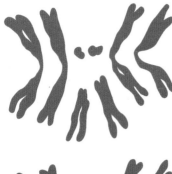
Voici l'aspect que présentent les chromosomes de la mouche du vinaigre. Au-dessus, ceux de la femelle au-dessous, ceux du mâle.

Les caractères apportés par certains gènes ne se voient pas (comme la couleur noire de ces mouches) parce que d'autres gènes sont dominants (ceux de la couleur grise), mais tous les gènes se transmettent à la descendance.

LES LOIS DE MENDEL

Gregor Mendel put vérifier comment les caractères se transmettaient et se combinaient. Il découvrit trois lois qui portent son nom. L'une d'elles, par exemple, dit que si l'on croise deux mouches grises, avec chacune des gènes de la couleur grise et des gènes de la couleur noire, leurs descendants seront certains gris et les autres noirs.

grise (avec des gènes gris et noirs)

grise (avec des gènes gris et noirs)

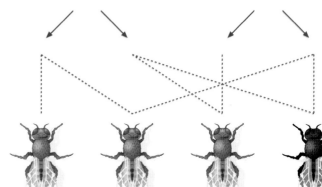

grise (avec des gènes gris uniquement)

grise (avec des gènes gris et noirs)

grise (avec des gènes gris et noirs)

noire (avec des gènes noirs uniquement)

L'ÉVOLUTION

Lorsque nous regardons autour de nous, nous voyons des milliers d'animaux différents. Mais cette diversité n'a pas toujours existé. Il y a trois milliards d'années, il n'y avait qu'une petite structure, proche de la cellule et qui flottait dans la mer. C'est d'elle que descendent tous les habitants de la planète. Cette petite cellule, au bout de quelques millions d'années, fit place à de nouvelles cellules plus perfectionnées. Elles ressemblaient aux protozoaires que nous connaissons aujourd'hui. Plus tard apparurent des organismes avec plusieurs cellules, et chacun donna naissance à de nouveaux organismes un peu différents de leurs parents. Les uns sont devenus des plantes, les autres des animaux.

bras humain

nageoire de baleine

aile de chauve-souris

PAS SI DIFFÉRENTS

Si l'on compare un bras d'homme, une nageoire de baleine et une aile de chauve-souris, ils semblent très différents. Cependant, il n'en est rien. L'observation de leurs squelettes révèle que tous trois possèdent les mêmes os, plus longs ou plus courts, plus larges ou plus étroits. Ces trois espèces sont des mammifères issus d'un ancêtre commun.

→ Les similitudes entre les os de différents animaux permettent aux chercheurs d'évaluer leur degré de parenté.

UN TRONC COMMUN

En étudiant les embryons de n'importe quel vertébré, l'on s'aperçoit qu'ils sont tous semblables les premiers jours. Ce n'est que plus tard qu'ils commencent à se différencier. Mais plus le lien de parenté est étroit, et plus ils restent proches longtemps. Ceci prouve que les animaux ont évolué, à partir d'un ancêtre commun, pour faire place à de nouvelles espèces.

POISSON   REPTILE   OISEAU   MAMMIFÈRE (HOMME)

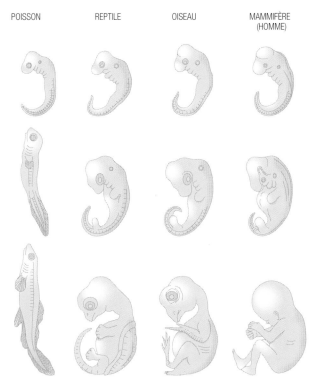

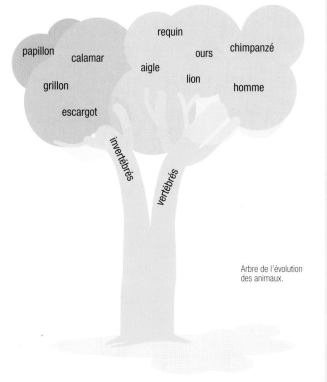

Arbre de l'évolution des animaux.

← L'évolution ressemble à un arbre. À partir du tronc partent les branches qui représentent les différents **groupes**. Les feuilles figurent les **espèces**.

L'ÉCOLOGIE

L'écologie est la science qui étudie les **écosystèmes**. Un écosystème est constitué d'un **milieu physique** (sol, eau, climat…) et des **êtres vivants** de ce milieu, ainsi que des **relations** qui existent entre ces êtres eux-mêmes et entre ces êtres et leur environnement (le sol nourrit les plantes qui sont mangées par des animaux qui sont dévorés à leur tour par d'autres…). Tous les animaux dépendent de la qualité de leur écosystème pour vivre puisqu'ils y trouvent de l'eau, de la nourriture et un abri.

DES ÉCOSYSTÈMES TRÈS DIVERS

L'écosystème dépend aussi des êtres vivants, car un déséquilibre dans les populations qui le composent peut conduire à sa destruction.

N'importe quelle portion de la Terre est un écosystème. En fait, toute la planète est le plus grand des écosystèmes où vivent tous les animaux et les plantes tirant leurs besoins de leur environnement. Cependant, une flaque d'eau constitue aussi un écosystème à elle seule. En l'étudiant à l'aide d'une loupe ou d'un microscope, on observe qu'elle renferme une multitude de micro-organismes, de bactéries, d'algues et de protozoaires qui, comme dans tout écosystème, ont créé des relations entre eux et avec le milieu.

Dans un écosystème, tous les éléments dépendent les uns des autres : l'herbe sert de nourriture aux moutons qui sont mangés par les loups. À sa mort, le loup se décompose et devient un engrais pour l'herbe.

Les êtres vivants composent la **biocénose** et le milieu physique où se trouvent ces êtres vivants s'appelle le « **biotope** ».

UNE PYRAMIDE ÉCOLOGIQUE

Pour qu'un serpentaire vive, il doit trouver des dizaines de couleuvres. Pour nourrir ces couleuvres, il faut des centaines de grenouilles. Ces grenouilles doivent dévorer des milliers d'insectes qui ont eux-mêmes besoin de millions de brins d'herbe pour s'alimenter. C'est un exemple de pyramide écologique.

L'ÉQUILIBRE ÉCOLOGIQUE

Le maintien d'un écosystème exige qu'il y ait une régulation entre les producteurs et les consommateurs. Par exemple, considérons un écosystème simple avec un nombre déterminé d'herbivores (des moutons) qui mangent juste les plantes nécessaires pour que le sol continue de les produire sans s'épuiser. Pour parvenir à un équilibre, il faut donc un nombre précis de carnivores (des loups) qui mangent les herbivores dans des proportions telles que ces derniers puissent continuer à se reproduire. Le retour à l'équilibre d'un écosystème déséquilibré nécessite beaucoup de temps.

Les déséquilibres écologiques se produisent habituellement lors de catastrophes naturelles (éruptions volcaniques, inondations, tremblements de terre, etc.). Mais aujourd'hui, l'homme en est souvent la cause (déforestation, incendies, pollution, introduction de nouvelles espèces, etc.).

LA DÉPENDANCE MUTUELLE

Dans un écosystème, toutes les plantes et tous les animaux dépendent les uns des autres. Par exemple, dans un écosystème constitué par un lac, les castors ont besoin de bois pour construire des barrages et se nourrir. Ils participent ainsi au défrichement de certaines zones où de jeunes arbres peuvent alors pousser. Les barrages qu'ils érigent permettent de maintenir l'eau au même niveau. Ainsi, d'autres animaux vivent dans ce lac artificiel qui, en évitant les inondations et la sécheresse, favorise le développement des plantes.

Même si le lac gèle, les castors ont créé des conditions favorables qui leur permettent de supporter l'hiver dans leur nid.

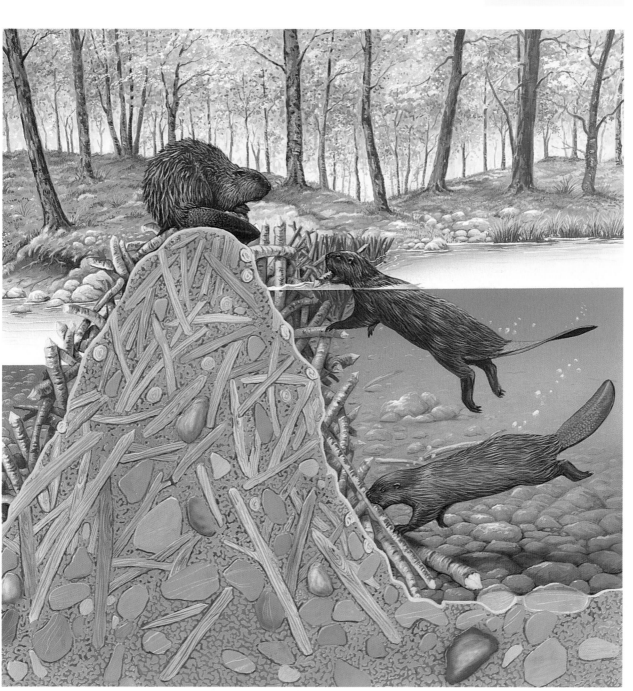

L'abattage des arbres par les castors peut paraître préjudiciable à la forêt, mais les chercheurs ont démontré que c'est faux.

LA RÉPARTITION

Chaque espèce, animale ou végétale, vit dans un milieu particulier. Les ours polaires se trouvent au pôle Nord, les girafes dans la savane africaine et les truites en amont de certains cours d'eau. Une espèce choisit l'écosystème le plus approprié pour vivre, c'est-à-dire une région plus ou moins étendue où elle trouve tout ce dont elle a besoin.

LES FACTEURS DE LA RÉPARTITION

Les principaux facteurs qui ont une influence sur la répartition des êtres vivants sont : la quantité de lumière, le degré d'humidité, le type de sol, l'altitude par rapport au niveau de la mer, la distance de l'équateur et des pôles, la température et, pour les êtres qui vivent dans l'océan, le taux de sel et la profondeur.

LES MIGRATIONS

Les animaux peuvent occuper des régions plus étendues que les végétaux parce qu'ils ont le pouvoir de se déplacer. Ainsi, de nombreux oiseaux réalisent de grandes migrations. Ils vivent un certain temps dans l'hémisphère Nord puis partent dans l'hémisphère Sud, toujours à la recherche des conditions climatiques les plus favorables.

La chauve-souris pêcheuse vit dans les régions colorées en rouge.

ZOOGÉOGRAPHIE

La zoogéographie est la science qui étudie la répartition des animaux sur la planète, c'est-à-dire la géographie des animaux.

Il existe parfois des barrières géographiques naturelles, comme une mer ou des montagnes. Elles empêchent de nombreux animaux de parvenir dans des régions où ils pourraient parfaitement vivre.

Les castors vivent dans les régions colorées en vert et en rouge.

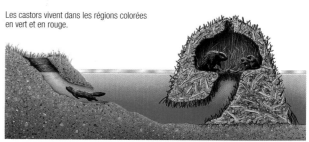

Le doryphore est un animal très nuisible pour les pommes de terre. C'est grâce au développement des transports qu'il s'est propagé dans toutes les régions du monde où l'on cultive les pommes de terre.

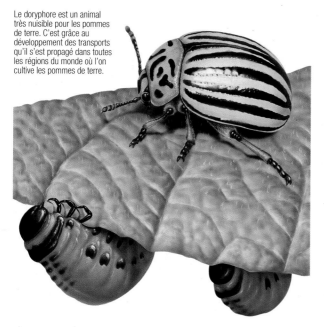

LES ÉMIGRANTS DU MONDE ANIMAL

Pendant des milliers d'années, seuls les oiseaux et les poissons pouvaient voyager sans difficulté d'un continent à l'autre. Le reste des animaux devait attendre d'être entraîné, sur un tronc d'arbre arraché par la tempête, vers une plage éloignée. Mais la civilisation de l'homme a modifié cette situation. D'abord par bateau, puis par avion, de nombreux animaux gagnèrent des régions éloignées et s'y établirent en causant parfois de gros dégâts. C'est ce qui se produisit avec les rats et d'autres rongeurs, ainsi qu'avec beaucoup d'insectes.

Des colons amenèrent en Australie des lapins pour les chasser. Ils se sont si bien adaptés dans leur nouveau pays qu'ils ravagent maintenant tous les pâturages où se nourrissent les kangourous.

QUELLES SONT LES ZONES ZOOGÉOGRAPHIQUES ?

L'ours noir vit en Amérique du Nord.

La zoogéographie désigne de vastes zones du globe où vivent des animaux très caractéristiques. Ainsi, l'Amérique du Nord et l'Amérique du Sud sont deux zones distinctes. L'Europe tout entière et le Nord de l'Asie possèdent des animaux communs et constituent une même zone. La faune d'Afrique est différente de celle du reste du monde, tout comme celle de l'Australie ; ces deux continents forment deux zones zoogéographiques.

L'ours brun est caractéristique de l'hémisphère Nord.

Il y a des animaux dans toutes les régions du monde, y compris les pôles.

La grenouille marsupiale, avec sa poche dorsale pour incuber les œufs, vit en Amérique du Sud.

On peut trouver des gorilles dans la forêt équatoriale, mais seulement en Afrique.

LES PROTOZOAIRES

Les protozoaires sont des animaux **unicellulaires** très petits et le plus souvent impossibles à observer à l'œil nu. Il faut un microscope ou une loupe puissante. Cette unique cellule assure, à elle seule, l'ensemble des fonctions vitales de relation, de nutrition et de reproduction.

LES TYPES DE PROTOZOAIRES

Les protozoaires sont classés selon leur façon de se mouvoir. Les **ciliés** utilisent des cils (une sorte de poils courts). Les **flagellés** utilisent des flagelles (petits fouets allongés). Les **amibes** se meuvent en déformant leur masse corporelle (en rampant sur le fond).

On trouve des protozoaires partout sur la Terre. Ils ont juste besoin d'un minimum d'humidité.

LES CILIÉS ET LES FLAGELLÉS

Ces protozoaires sont les plus rapides, car ils se déplacent en nageant dans le liquide où ils vivent. Les **ciliés** peuvent avoir un corps recouvert de nombreux cils ou simplement muni d'une seule rangée de cils qui bougent en rythme à la manière des vagues. Les **flagellés** ont un ou plusieurs flagelles qu'ils utilisent à la manière d'une hélice de bateau. Certaines espèces, appartenant à ce groupe, ont développé une sorte de pied avec lequel elles se fixent ; ainsi, immobiles dans l'eau, elles provoquent un courant, grâce à leurs cils et leurs flagelles, qui dirige vers leur bouche l'oxygène et la nourriture dont elles ont besoin.

Les protozoaires jouent un rôle très important dans la nature, car ce sont de grands consommateurs de bactéries. C'est grâce à eux que nos eaux domestiques sont épurées.

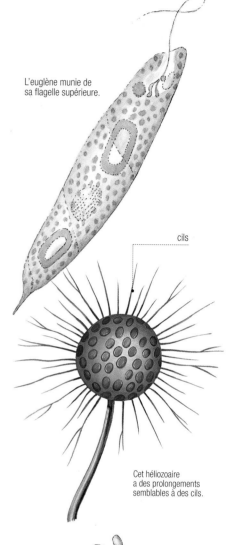

L'euglène munie de sa flagelle supérieure.

cils

Cet héliozoaire a des prolongements semblables à des cils.

LES AMIBES

Les **mouvements amiboïdes** sont une sorte de reptation lente sur une surface dure. Le corps se déforme et émet un **pseudopode**, un prolongement dont l'extrémité adhère à la surface et tire ensuite le reste du corps. Pour se nourrir, les amibes entourent une substance organique, puis l'englobent à l'intérieur de leur corps : c'est la **phagocytose**.

À l'issue de la division, les cellules filles peuvent rester plus ou moins accolées, formant des **colonies** dont toutes les cellules fonctionnent individuellement.

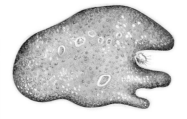
Une amibe phagocytant une particule alimentaire.

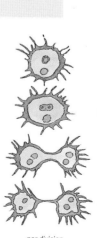

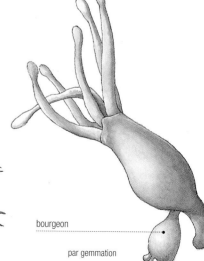

bourgeon

par division

par gemmation

La reproduction asexuée des protozoaires.

Introduction

Anatomie
et physiologie

Écologie

Protozoaires

Invertébrés.
Mollusques et
céphalopodes

Invertébrés.
Bivalves et
gastéropodes

Invertébrés.
Annélides

Invertébrés.
Arthropodes

Invertébrés.
Insectes et
échinodermes

Vertébrés

Vertébrés.
Poissons

Vertébrés.
Amphibiens

Vertébrés.
Reptiles

Vertébrés.
Oiseaux

Vertébrés.
Mammifères

Index

LE CYCLE DU PALUDISME À L'INTÉRIEUR DU MOUSTIQUE

œuf

gamétocytes

sporozoïtes

glandes salivaires

moustique
(anophèle)

moustique
(anophèle)

cellule
hépatique

sporozoïte

schizonte

mérozoïtes

FOIE

gamétocytes

schizonte

globules
rouges

CYCLE DU PALUDISME À L'INTÉRIEUR DE L'ÊTRE HUMAIN

mérozoïtes

SANG

MODE DE VIE

Certains protozoaires vivent librement dans la nature, généralement dans les eaux douces ou dans les sols humides. D'autres vivent dans la mer. Ils se nourrissent habituellement de substances organiques dissoutes dans le milieu, de bactéries, d'algues microscopiques et même de certaines espèces de protozoaires. Pour s'alimenter, ils se servent de zones particulières, à la surface de la cellule, comparables à une bouche. Ils absorbent cette nourriture en l'enveloppant de leur membrane cytoplasmique : c'est la **phagocytose**.

D'autres protozoaires, les sporozoaires, sont des **parasites** et vivent à l'intérieur des animaux et des plantes. Dans ce cas, ils peuvent être nuisibles, car ils puisent les substances qui leur sont nécessaires dans l'organisme d'un autre et provoquent des maladies (le **paludisme**, par exemple).

Le schéma de gauche montre le cheminement suivi par le protozoaire (ici le *plasmodium*) qui provoque le paludisme chez l'homme. À gauche, un moustique femelle pique une personne saine et lui transmet le protozoaire. À droite, le moustique pique une personne malade et boucle le cycle en piquant une autre personne saine.

Certains protozoaires provoquent des maladies très graves, comme le **plasmodium**, agent du paludisme (ou malaria) une maladie, qui cause de fortes fièvres et finalement la mort. Ce protozoaire pénètre dans le corps de l'homme par une piqûre de moustique.

LES PROTOZOAIRES MARINS

L'observation à la loupe du sable d'une plage permet de voir de jolies petites enveloppes, comme des coquillages miniatures, qui sont les squelettes de calcaire ou de silice provenant de protozoaires marins.

À l'ère tertiaire, il existait des protozoaires marins, appelés **« nummulites »**, qui pouvaient atteindre plusieurs centimètres. On peut voir aujourd'hui leurs fossiles dans de nombreux musées d'histoire naturelle.

Squelettes de
foraminifères,
des protozoaires
marins.

LES INVERTÉBRÉS

Les invertébrés sont tous les animaux pluricellulaires sans vertèbres, à la différence des vertébrés qui en possèdent. Leur corps peut être mou, recouvert d'une **carapace** ou d'une **coquille**. Ils forment le groupe le plus important de tous les animaux qui peuplent la planète, que ce soit sur la terre ferme ou dans l'eau.

On a calculé que, pour chaque espèce de vertébré qui se trouve sur la planète, il y a 20 espèces d'invertébrés.

LES TYPES D'INVERTÉBRÉS

Les invertébrés ne constituent pas, comme les vertébrés, un groupe naturel. Certains sont aussi simples que l'anémone de mer, qui ressemble plus à une plante qu'à un animal. D'autres, comme le poulpe, peuvent être dressés et possèdent des yeux aussi perfectionnés que ceux de l'homme.

Il y a deux grands types d'invertébrés. Dans le premier type, les animaux ont un corps qui ne présente pas un axe de symétrie bilatérale ; on y retrouve les éponges, les anémones de mer et les coraux **(cnidaires)**. Tous les autres invertébrés ont un corps avec un côté droit et d'un côté gauche.

Il existe environ de 15 000 à 20 000 espèces d'éponges, de méduses et de coraux.

SANS SYMÉTRIE BILATÉRALE

Les invertébrés sans symétrie bilatérale sont les plus primitifs. Ils vivent tous dans l'eau et en majorité dans la mer. Leur forme ne fait pas penser aux animaux. Ils n'ont pas d'organes ni de véritables tissus, mais seulement des cellules plus ou moins spécialisées.

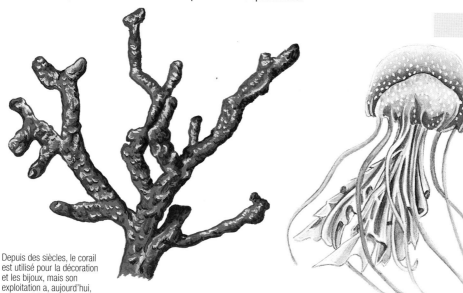

Depuis des siècles, le corail est utilisé pour la décoration et les bijoux, mais son exploitation a, aujourd'hui, mis en péril son existence.

LES CNIDAIRES

Les cnidaires, qui comportent les **polypes**, les **coraux** et les **méduses**, sont un peu plus évolués que les éponges puisqu'ils possèdent quelques cellules sensorielles et des tissus primitifs. Une de leurs principales caractéristiques réside dans le corps qui présente une **symétrie radiale** : il n'est plus irrégulier et rayonne à partir du centre.

Une méduse nageant librement.

LES SPONGIAIRES

Ce sont les invertébrés les plus simples. Ils vivent accrochés au fond de l'eau et se nourrissent de particules en suspension. Leur corps n'a pas de véritables tissus ni de forme bien définie.

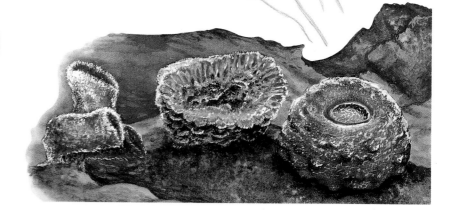

Certaines éponges sont utilisées comme éponge de toilette.

LA SYMÉTRIE BILATÉRALE

La grande majorité des animaux, dont les vertébrés, présentent une symétrie bilatérale. Si l'on trace un plan qui divise leur corps dans le sens de la longueur, on peut distinguer deux parties égales, une à droite et l'autre à gauche. Certains ont une cavité dans le corps qui porte le nom de **cœlome**. Il y a trois grands groupes d'animaux avec une symétrie bilatérale : les **acœlomates**, les **pseudo-cœlomates** et les **cœlomates**.

Les acœlomates

Ces animaux sont dépourvus de cœlome. Ce sont les invertébrés les plus simples. Parmi eux, on compte les **vers plats**, par exemple les **douves** et les **ténias** qui sont des parasites.

Les pseudo-cœlomates

Ce sont des vers un peu plus évolués que les précédents. Ils renferment une cavité, semblable à un cœlome, mais qui n'en est pas une. Leur nom vient de là.

Les cœlomates

La majorité des invertébrés appartient à ce groupe. Ils possèdent tous un cœlome. Ils peuvent être terrestres ou aquatiques et présentent les formes les plus diverses.

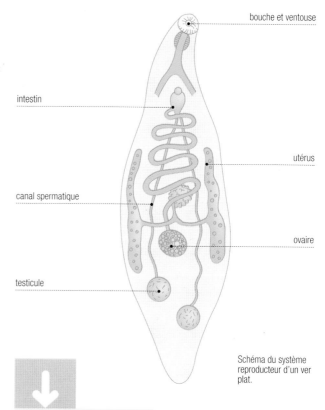

bouche et ventouse

intestin

utérus

canal spermatique

ovaire

testicule

Schéma du système reproducteur d'un ver plat.

Le **cœlome** est une cavité remplie d'un liquide différent du sang où se trouvent le tube digestif et d'autres viscères.

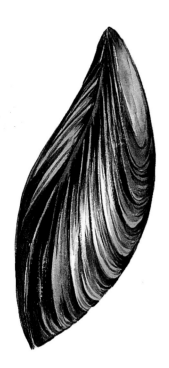

La moule (avec ses deux valves fermées) est un mollusque.

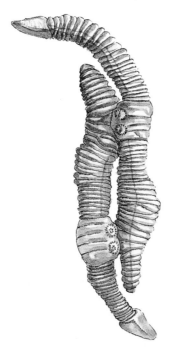

Les lombrics (représentés accouplés) sont des annélides.

Les abeilles (ici un faux bourdon) sont des arthropodes.

LES SPONGIAIRES ET LES CNIDAIRES

Ce sont des animaux aquatiques, au corps irrégulier ou radiaire, dont la structure est très simple. Ils sont constitués par une paroi à deux feuillets entourant une **cavité centrale digestive**. Chez les plus complexes d'entre eux, ce tissu renferme des cellules spécialisées pour capturer des proies.

LES SPONGIAIRES

Les spongiaires sont les animaux pluricellulaires les plus simples, sans organes ni tissus définis. Ils passent leur vie fixés à une surface. Leur corps est asymétrique. Il se compose d'une **cavité interne** qui communique avec l'extérieur par une grande ouverture placée dans leur partie supérieure et par une multitude de petits **pores**.

La paroi interne des pores et de la cavité est tapissée de cellules munies de **flagelles** dont le mouvement provoque un courant. L'eau entre alors par les pores et ressort par l'ouverture supérieure. Dans cette eau renouvelée, l'éponge puise l'oxygène et les nutriments qui lui sont nécessaires.

Les spongiaires sont dépourvus de système nerveux bien défini.

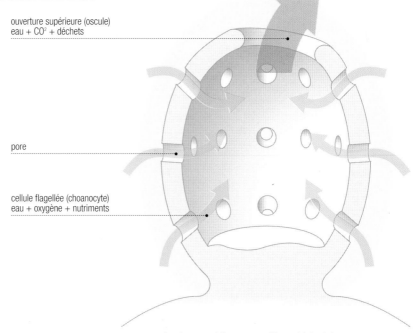

ouverture supérieure (oscule)
eau + CO_2 + déchets

pore

cellule flagellée (choanocyte)
eau + oxygène + nutriments

Les éponges s'alimentent par l'intermédiaire de leurs pores.

LES CLASSES DE SPONGIAIRES

Selon la complexité de leur corps, les spongiaires sont divisés en différentes classes. Les plus simples ressemblent à un sac dont l'intérieur est tapissé de cellules flagellées. Les autres sont un peu plus compliqués avec des **cellules flagellées** dans les canaux qui relient l'extérieur à l'intérieur. Les plus compliqués ont des parois tapissées de canaux remplis de ces cellules.

La majorité des spongiaires ont une structure calcaire ou siliceuse (les **spicules**) dont l'entrelacs constitue une sorte de squelette. Les éponges dépourvues de spicules sont les plus douces et c'est pour cette raison que les hommes les utilisent depuis l'Antiquité pour leur toilette.

Sycon raphanus

Axinella verrucosa

Euplectella aspergioides

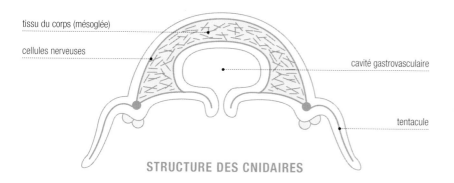

tentacule

tissu du corps (mésoglée)

fibres musculaires

fibres musculaires

cavité gastrovasculaire

cellules nerveuses

tissu du corps (mésoglée)

cellules nerveuses

cavité gastrovasculaire

tentacule

STRUCTURE DES CNIDAIRES

LES CNIDAIRES

Les cnidaires sont des animaux marins
qui présentent un corps à symétrie radiaire,
c'est-à-dire que leur forme est arrondie
ou cylindrique. Bien plus complexes que
les éponges, ils sont aussi très simples.
Leur corps a également une forme de sac avec
un orifice unique bordé de **tentacules** dans
la partie supérieure. La cavité interne permet
d'absorber les aliments et l'oxygène.

La paroi externe des cnidaires
est tapissée de **cellules nerveuses**
et **sensitives** pour détecter les
changements de lumière et de
position du corps.

LES POLYPES ET LES MÉDUSES

On distingue deux types principaux de cnidaires : ceux qui sont fixés au
fond de l'eau, comme les **anémones de mer** et les **coraux** (**polypes**), et
ceux qui nagent telles les **méduses**. De nombreuses espèces passent
la première partie de leur vie sous la forme de polype, puis la seconde
partie sous la forme d'une méduse.

Les coraux sont des **colonies arborescentes** de petits polypes qui
fabriquent un squelette, commun à tous les individus, sur lequel ils
vivent.

Les méduses et certaines anémones
de mer ont des cellules **urticantes**, sur
leurs tentacules. Quand on les touche,
elles dégagent des substances
chimiques qui irritent la peau.

Anémone de mer

Méduse

LES VERS PRIMITIFS

Les vers primitifs constituent un groupe d'animaux au corps mou, de couleur blanche en général, de forme allongée, et le plus souvent dépourvus de cœlome. Ce sont pour la plupart des **parasites internes**. Le groupe le plus important est celui des **plathelminthes**, ou vers plats.

LES PLATHELMINTHES

Ces vers aplatis, de taille très variable, peuvent mesurer moins d'un millimètre ou plus de dix mètres de long. On peut clairement distinguer une tête et une queue. Leur système digestif est un tube qui a une entrée mais pas de sortie ; ils sont dépourvus d'anus. Ils ne possèdent ni système respiratoire ni système circulatoire. Normalement, ils sont **hermaphrodites**, c'est-à-dire mâle et femelle à la fois.

Il existe trois principaux groupes de plathelminthes : les **turbellariés**, les **trématodes** et les **cestodes**.

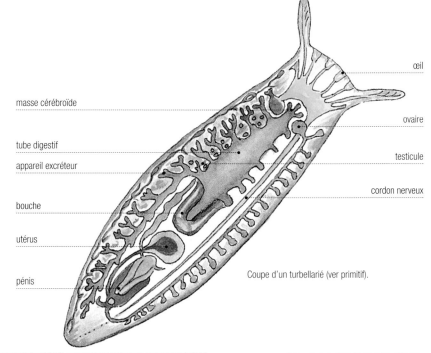

masse cérébroïde

tube digestif

appareil excréteur

bouche

utérus

pénis

œil

ovaire

testicule

cordon nerveux

Coupe d'un turbellarié (ver primitif).

LES TURBELLARIÉS OU PLANAIRES

Ils vivent en milieu aquatique, dans les cours d'eau, les lacs ou les mers. Ils se cachent sous les pierres, les troncs, les feuilles qui sont au fond. Certaines espèces sont très petites et presque incolores, alors que d'autres peuvent mesurer plusieurs centimètres de long et avoir des couleurs vives. Leur corps est recouvert d'une multitude de cils. De loin, il est impossible de distinguer la tête de la queue, car ils présentent le même aspect aux deux extrémités du corps. Souvent, ils n'ont ni yeux, ni tentacules, ni autres structures visibles à l'œil nu.

Le système nerveux des plathelminthes est formé de ganglions, placés dans la tête, qui font office de cerveau et de cordons nerveux qui parcourent le corps.

La douve est un trématode.

De nombreux plathelminthes sont allongés comme de fins cordons.

La bouche des turbellariés, placée sur la partie ventrale du corps, est constituée par un pharynx qui s'ouvre à l'extérieur pour y puiser de la nourriture.

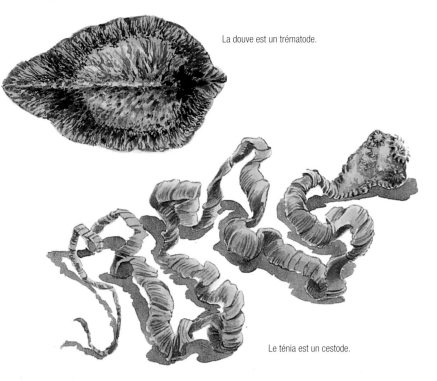

Le ténia est un cestode.

LES TRÉMATODES OU DOUVES ET LES CESTODES OU TÉNIAS

Ils vivent à l'intérieur d'autres organismes ; ce sont des parasites. Leur cycle de vie est très compliqué, car ils peuvent se trouver à des stades différents selon leurs hôtes (les animaux qu'ils parasitent). Par ailleurs, ils ont dû trouver le moyen d'introduire leurs œufs dans d'autres individus pour s'y installer. Ils sont généralement munis de crochets ou de ventouses pour se fixer sur les parois des corps qu'ils parasitent. De nombreuses espèces de ces vers sont responsables de maladies graves chez les animaux à l'intérieur desquels ils vivent, et chez les hommes aussi.

LES TÉNIAS

Ils vivent dans les intestins d'autres animaux et se nourrissent des aliments que ces derniers ingèrent. La peau des ténias est capable d'absorber les substances déjà digérées par leur hôte. Dans certains cas, les ténias absorbent toute la nourriture arrivant dans l'estomac de leur hôte qui s'affaiblit alors.

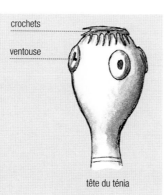

crochets
ventouse

tête du ténia

CYCLE VITAL DU TENIA

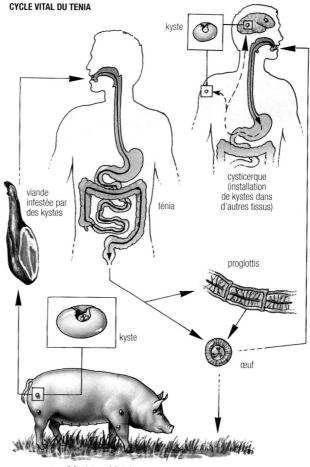

kyste

viande infestée par des kystes

ténia

cysticerque (installation de kystes dans d'autres tissus)

proglottis

kyste

œuf

porc (hôte intermédiaire)

CYCLE VITAL DE LA TRICHINE

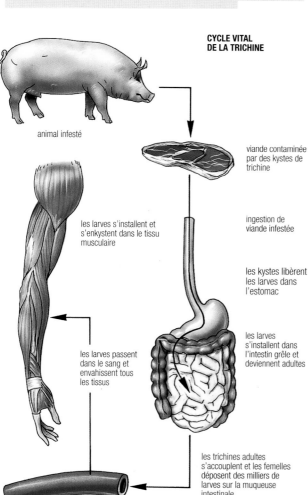

animal infesté

viande contaminée par des kystes de trichine

ingestion de viande infestée

les kystes libèrent les larves dans l'estomac

les larves s'installent dans l'intestin grêle et deviennent adultes

les larves s'installent et s'enkystent dans le tissu musculaire

les larves passent dans le sang et envahissent tous les tissus

les trichines adultes s'accouplent et les femelles déposent des milliers de larves sur la muqueuse intestinale

LES NÉMATODES

Ces vers primitifs ne sont pas des plathelminthes. Ils ont une forme cylindrique et sont recouverts d'une peau dure. On distingue très bien la tête qui présente une bouche pourvue d'un genre de lèvres ou de poils sensoriels. Ils ont un anus placé sur la partie postérieure et ventrale du corps. Ils sont généralement de couleur terne. Les mâles sont différents des femelles.

Il en existe un grand nombre. Tous ne sont pas encore connus. Ils vivent aussi bien en eau douce que dans la mer, dans le sol ou à l'intérieur des plantes et des animaux qu'ils parasitent. Certaines espèces sont des parasites de l'homme et sont responsables de graves maladies.

 Les nématodes ont une cavité interne pleine de liquide, mais ce n'est pas un véritable cœlome.

LES MOLLUSQUES

Il s'agit d'un embranchement très ancien, apparu voilà 600 millions d'années, dont l'évolution a été très réussie. Il a colonisé tous les milieux : les océans (des zones côtières aux grandes profondeurs), le milieu terrestre et les eaux douces. Actuellement, on dénombre plus de 100 000 espèces de mollusques dont les poulpes, les calmars, les escargots, les huîtres, les palourdes…

LES CARACTÉRISTIQUES DES MOLLUSQUES

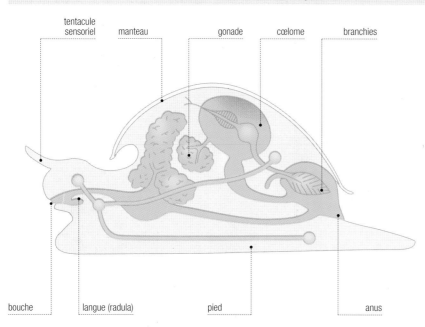

tentacule sensoriel — manteau — gonade — cœlome — branchies

bouche — langue (radula) — pied — anus

COUPE DE L'ESCARGOT

Leur corps n'est pas segmenté. La tête est identifiable. De nombreuses espèces subissent d'importantes transformations au cours de leur développement et souvent, à la fin du processus, on a du mal à les reconnaître. Ils possèdent un **pied musculeux** aux formes variables. Leurs viscères sont enveloppés dans une membrane protectrice, le manteau qui, dans certains cas, produit la coquille. Celle-ci protège l'animal. Des **branchies** lui permettent de respirer. Les escargots terrestres sont pourvus d'une sorte de poumons modifiés.

La **radula** est la langue des mollusques qui sert à râper la surface des feuilles.

LES CLASSES DE MOLLUSQUES

Les classes les plus connues de mollusques sont les **gastéropodes** (escargots et limaces), les **lamellibranches** ou bivalves (palourdes et moules) et les **céphalopodes** (poulpes et calmars). Cependant, ce ne sont pas les seules. Il existe d'autres classes qui comprennent moins d'espèces et qui vivent dans des endroits plus restreints, comme les amphineures ou les scaphopodes. Certains mollusques ont des coquilles, et la majorité vit au fond des océans.

L'escargot est un gastéropode.

L'huître de rivière est un lamellibranche.

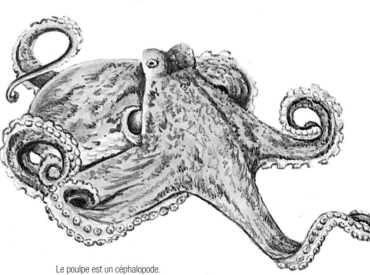

Le poulpe est un céphalopode.

Introduction

Anatomie
et physiologie

Écologie

Invertébrés

**Invertébrés.
Mollusques e
céphalopodes**

Invertébrés.
Bivalves et
gastéropodes

Invertébrés.
Annélides

Invertébrés.
Arthropodes

Invertébrés.
Insectes et
échinodermes

Vertébrés

Vertébrés.
Poissons

Vertébrés.
Amphibiens

Vertébrés.
Reptiles

Vertébrés.
Oiseaux

Vertébrés.
Mammifères

Index

DE QUOI SE NOURRISSENT LES MOLLUSQUES ?

Leur régime très varié dépend du milieu où ils vivent. Les bivalves se nourrissent normalement en filtrant les matières organiques et le plancton présents dans l'eau. Les céphalopodes sont des prédateurs actifs qui poursuivent leurs proies. Les escargots peuvent être carnivores ou herbivores.

 Certaines espèces herbivores, comme les escargots, peuvent devenir de véritables plaies pour les jardins, ce qui explique l'existence de nombreux pesticides qui leur sont particulièrement destinés.

Le calmar menacé par un prédateur trouble l'eau d'un liquide noir pour protéger sa fuite.

L'IMPORTANCE ÉCONOMIQUE DES MOLLUSQUES

Certaines espèces d'escargots sont dangereuses, car elles sécrètent un poison à travers leurs dents. Pour l'homme, le seul gastéropode dangereux est une espèce de cône qui vit dans les mers tropicales.

Une grande variété de mollusques est consommée, comme les coques, les moules, les palourdes, les escargots, les calmars… en fonction des habitudes alimentaires des différentes régions du globe.

Avec leurs coquilles, on fabrique des objets décoratifs. Les **perles** sont des concrétions de nacre que produisent les huîtres et d'autres bivalves ; elles sont considérées comme des bijoux et peuvent avoir une grande valeur économique.

On compte encore bien d'autres utilisations particulières. Ainsi, le murex, un coquillage qui sécrète un liquide transparent dont la couleur devient verte puis pourpre sous l'effet de la lumière, a été utilisé depuis l'Antiquité pour teindre les étoffes de luxe.

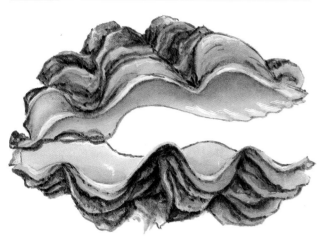

Le bénitier est le plus grand des lamellibranches. Il peut atteindre 1m de diamètre et peser 200 kg. On a utilisé sa coquille pour recevoir l'eau bénite.

On cultive les moules dans des rias à l'embouchure des fleuves parce que l'eau y est très riche en nutriments.

LES CÉPHALOPODES

Les céphalopodes sont des mollusques marins très particuliers. Leur tête possède une couronne de tentacules qu'ils utilisent essentiellement pour se déplacer et saisir des objets à la manière de bras.

Ces prédateurs se nourrissent de différentes proies en fonction de leur taille. Leur comportement atteint un certain niveau de développement et quelques spécimens peuvent devenir énormes.

UNE TÊTE TRÈS PARTICULIÈRE

Le nom de « céphalopode » signifie en latin « pied sur la tête ». Chez les mollusques, le pied est rabattu vers l'avant et découpé en tentacules garnies de ventouses. Ces **tentacules** leur permettent de se déplacer et de capturer des proies. Au milieu de cette couronne de tentacules se trouve la bouche pourvue d'une mâchoire très dure en forme de bec.

Leurs **yeux**, qui possèdent une structure très voisine de celle des vertébrés, leur permettent d'avoir une très bonne **vision**, meilleure même que celle de certains mammifères.

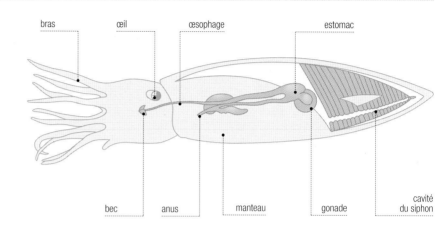

COUPE D'UN CÉPHALOPODE

Pour avancer, les céphalopodes remplissent leur corps d'eau qu'ils expulsent ensuite sous pression à travers le **siphon** et l'**entonnoir**.

Le **calmar géant** *(architeuthis)* vit dans l'Atlantique Nord et peut atteindre 16 m de long.

LA COQUILLE

La majorité des espèces de céphalopodes vivant de nos jours possède une coquille très réduite, voire inexistante, même si leurs ancêtres, il y a des millions d'années, en avaient. Ils l'ont perdue au cours de l'évolution.

La seule espèce vivante qui possède une coquille est le **nautile** qui vit dans l'océan Indien.

Grâce à lui, nous savons comment étaient constitués les anciens céphalopodes. La coquille du nautile, en forme de spirale, est divisée, à l'intérieur, en une série de loges. L'animal occupe la loge la plus externe alors que les autres sont remplies d'un gaz qui lui permet de flotter dans l'eau ; sans cela, il coulerait, entraîné par son propre poids.

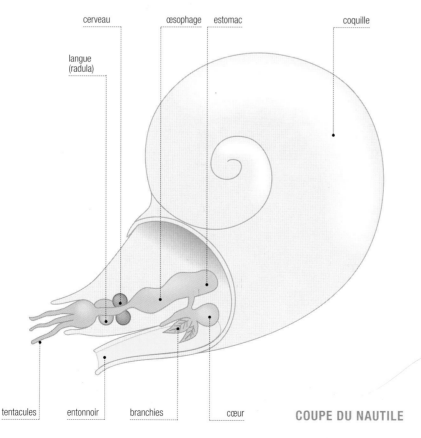

COUPE DU NAUTILE

COMPORTEMENT

Les céphalopodes ont un cerveau très développé, ce qui leur a permis, avec leur excellente vue, d'atteindre des niveaux de comportement rarement aussi perfectionnés chez les invertébrés. Leurs techniques de chasse sont très complexes. Ils se tiennent souvent à l'**affût**, cachés derrière un rocher, et se précipitent sur leur proie quand elle passe à leur portée.

Quand un calmar se sent menacé par un prédateur, il s'enfuit en expulsant une grande quantité d'**encre** noire qui forme un nuage. Surprenant son ennemi, il trouve ainsi le temps de se mettre à l'abri.

De nombreux céphalopodes, comme la seiche, sont comestibles et ont une grande importance économique.

Les **seiches** peuvent changer de couleur et prendre celle des fonds marins où elles se trouvent. Elles passent ainsi inaperçues.

REPRODUCTION

Dans cette classe de mollusques, les mâles peuvent être différents des femelles. Les mâles se servent d'un de leurs tentacules pour introduire dans le corps de la femelle, dans la cavité du manteau, une sorte de petite poche contenant des **spermatozoïdes** dont la fonction est de féconder les **œufs**. La femelle expulse les œufs fécondés à l'extérieur. Après quelques jours, des petits naissent et leur aspect est très proche de celui des adultes.

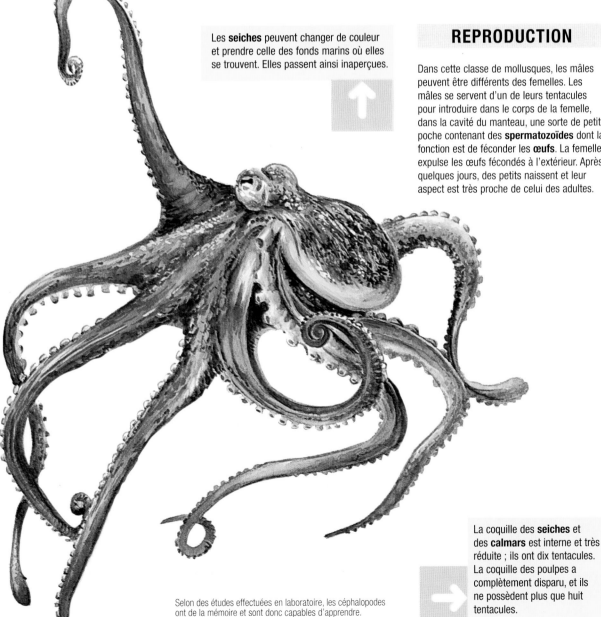

Selon des études effectuées en laboratoire, les céphalopodes ont de la mémoire et sont donc capables d'apprendre.

La coquille des **seiches** et des **calmars** est interne et très réduite ; ils ont dix tentacules. La coquille des poulpes a complètement disparu, et ils ne possèdent plus que huit tentacules.

BIVALVES ET GASTÉROPODES

Les **bivalves** regroupent les mollusques qui ont une coquille constituée de deux parties mobiles. Ils vivent pour la plupart dans la mer. Les **gastéropodes** ont une coquille typique qui s'enroule sur elle-même comme une hélice. On les rencontre dans les eaux de mer, les eaux douces et sur la terre ferme.

LES BIVALVES OU LAMELLIBRANCHES

Les bivalves reçoivent aussi le nom de **lamellibranches** parce qu'ils respirent au moyen de **branchies** en lamelles recouvertes de cils vibratils. Leur coquille est formée de deux parties mobiles, reliées par une charnière, qui peuvent s'ouvrir ou se fermer à volonté. Ils sont dépourvus de tête et de rares espèces possèdent des organes visuels ne captant que de très petites variations de lumière. Leur corps est muni d'un ou deux **siphons** qui servent à créer des courants d'eau nécessaires à leur respiration, leur alimentation et leurs déplacements.

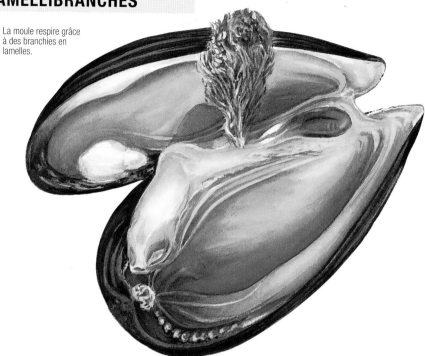

La moule respire grâce à des branchies en lamelles.

 Les bivalves sont tous **aquatiques** et, pour la grande majorité, vivent sur des fonds rocheux où ils se fixent, ou bien vaseux dans lesquels ils s'enfouissent.

LES GASTÉROPODES

Ils sont communément caractérisés par une coquille unique hélicoïdale qui protège leur masse viscérale. Ils possèdent un **pied musculeux**, qu'ils utilisent pour se traîner, et une tête munie de deux **tentacules** portant des yeux. Des cellules olfactives peuvent parfois se trouver dans ces tentacules. Dans la bouche, une langue râpeuse appelée « **radula** » triture les aliments. Certaines espèces marines ont un pied utilisé pour nager. Il y a actuellement environ 70 000 espèces de gastéropodes dont la taille varie de quelques millimètres à près d'un mètre de long.

L'escargot est un gastéropode terrestre.

Le bigorneau est un gastéropode qui vit dans la mer, près du rivage.

Les gastéropodes les plus connus sont les **escargots** et les **limaces**. Ils vivent dans la mer, dans les cours d'eau et sur la terre ferme. Certains sont même des parasites.

LA COQUILLE

Elle est formée d'une couche de calcaire dur qui entoure et protège le corps du mollusque. Le **manteau** possède des cellules particulières produisant du **carbonate de calcium** qui durcit au contact de l'air ou de l'eau. Le manteau sécrète aussi une autre substance, la **conchioline** qui, en se déposant en fine couche sur la face externe de la coquille, la rend plus solide et lui évite de se dissoudre. Il produit aussi des **pigments** de diverses couleurs qui forment de jolis reflets à la surface de la coquille.

Les deux parties de la coquille des bivalves sont reliées entre elles par un ligament élastique, la **charnière**, qui leur permet de s'ouvrir ou de se fermer. Le mouvement d'ouverture ou de fermeture est commandé par des **muscles**.

Les coquilles ont une structure très dure qui leur permet de rester très longtemps, des millions d'années, dans les sédiments. Les coquilles fossilisées nous font connaître les mollusques qui ont vécu dans le passé.

Les valves inférieure et supérieure d'une coquille Saint-Jacques.

De nombreux collectionneurs recherchent des coquillages comme cette porcelaine tigre. Les exemplaires les plus rares peuvent atteindre des prix très élevés.

En certaines circonstances, les huîtres produisent des perles qui sont des concrétions dures et brillantes dues à une superposition de couches de carbonate de calcium.

LES ESCARGOTS TERRESTRES

Les escargots terrestres se sont adaptés à vivre hors de l'eau. L'adaptation la plus importante a été la transformation de la cavité du manteau en une sorte de **poumon** capable de capter l'oxygène de l'air. Un **opercule** agit comme une porte qui permet à l'animal de s'isoler à l'intérieur de sa coquille lorsque l'humidité de l'air est insuffisante. De cette façon, il évite à son corps de se déshydrater.

Les escargots et les limaces se déplacent en laissant sur le sol une traînée caractéristique de **mucus**, un liquide visqueux qui leur est utile pour glisser et adhérer aux surfaces.

Les limaces sont des gastéropodes qui ont une coquille très réduite ou même inexistante.

LES ANNÉLIDES

Cet embranchement englobe des animaux au corps en forme de ver qui possède un axe de symétrie bilatérale. Leur corps est divisé en une succession d'animaux tous semblables, à l'exception de la tête et de la queue. À l'intérieur se trouve une cavité, appelée « **cœlome** », qui est pleine de liquide. Ces animaux, grâce à cette cavité et à leur peau particulière, peuvent se déplacer rapidement.

LES CARACTÉRISTIQUES GÉNÉRALES

Le premier segment du corps constitue habituellement la tête qui est bien distincte des autres. Les principaux systèmes des annélides, comme l'appareil digestif, le système circulatoire et le système nerveux, sont bien formés.

On trouve les annélides dans toutes sortes d'endroits : le sol, les rivières les lacs ou les mers. Les annélides, ou vers **annelés**, sont divisés en trois classes : les vers avec des soies (**les polychètes**), les vers dépourvus de soies (**les oligochètes**) et les sangsues (**les hirudinées**).

Les plumes, comme les soies, sont produites par la peau.

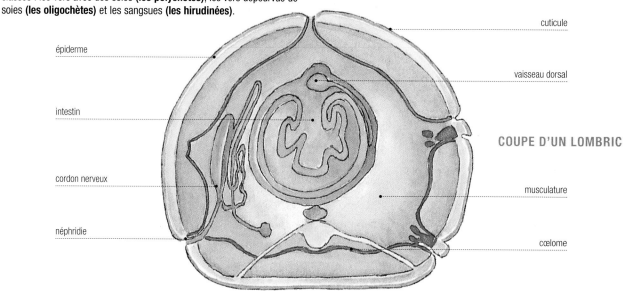

épiderme

intestin

cordon nerveux

néphridie

cuticule

vaisseau dorsal

COUPE D'UN LOMBRIC

musculature

cœlome

LES VERS MARINS OU POLYCHÈTES

L'*Eunice viridis* est un polychète. Sa tête est munie de quatre tentacules.

Les polychètes vivent en milieu marin, près du littoral ou dans les profondeurs abyssales. Ils ont des habitudes très diverses : les uns se déplacent en nageant, certains vivent sur des rochers et d'autres enfin restent enfouis sous la vase. Ils sont caractérisés par les poils rigides et nombreux (les **soies**) dont sont munis les anneaux de leur corps et qu'on pourrait comparer à des pattes. La tête, bien distincte du corps, possède des yeux et des **tentacules**.
Certains de ces vers sont de féroces chasseurs qui broient leurs proies à l'aide de leurs **mandibules**. D'autres se contentent de filtrer l'eau pour y puiser le plancton et les particules organiques en suspension dans l'eau.

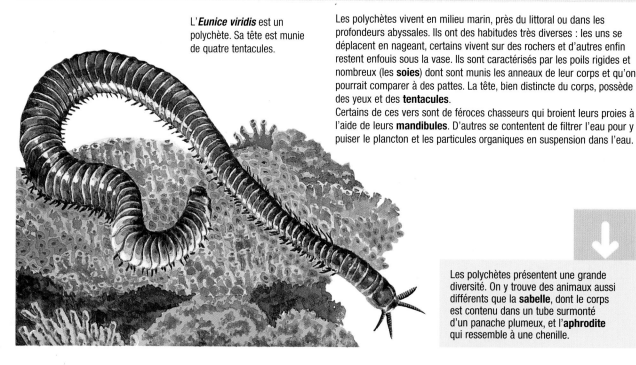

Les polychètes présentent une grande diversité. On y trouve des animaux aussi différents que la **sabelle**, dont le corps est contenu dans un tube surmonté d'un panache plumeux, et l'**aphrodite** qui ressemble à une chenille.

LES LOMBRICS OU OLIGOCHÈTES

Les lombrics, communément appelés **« vers de terre »**, se distinguent par l'absence presque totale de soies. Celles qu'ils possèdent sont très courtes et difficiles à voir à l'œil nu. La tête est à peine distincte du reste du corps qui est divisé en une série d'**anneaux** bien visibles.

Ils vivent dans des sols humides où ils creusent en permanence des galeries. Pour avancer, ils avalent de la terre dont ils extraient les éléments nutritifs, puis expulsent le reste de terre par l'anus. Certains vers oligochètes vivent dans les cours d'eau ou les lacs ; d'autres, peu nombreux, dans la mer.

> Les lombrics sont des animaux très utiles, car leurs galeries permettent d'aérer le sol.

À droite, un lombric (ver de terre) est attaqué par un mille-pattes (à gauche).

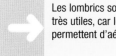

Un lombric en train de creuser.

Autrefois, on utilisait les sangsues pour faire des saignées locales aux malades et pour fluidifier le sang grâce à l'**hirudine** qu'elles injectent.

LES SANGSUES OU HIRUDINÉES

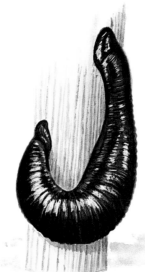

Les sangsues sont différentes des autres annélides, car leur corps est légèrement aplati et muni de deux **ventouses** : une antérieure, autour de la bouche, et l'autre postérieure. Le corps est composé de 33 anneaux.

Elles peuvent vivre sur le sol ou dans l'eau, en général dans les rivières et les lacs. Quelques-unes habitent dans les mers. Les sangsues sont des **parasites** qui se nourrissent du sang et des autres fluides corporels des animaux qu'elles attaquent. Elles pratiquent une petite entaille avec leurs mâchoires et leur salive produit une substance, l'hirudine, qui empêche le sang de coaguler et la blessure de se refermer.

Les sangsues vivent indistinctement sur terre ou dans l'eau.

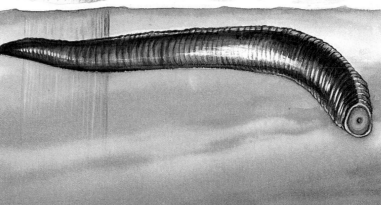

LES ARTHROPODES

Les arthropodes sont des animaux pourvus d'une enveloppe dure qui agit à la manière d'un squelette externe. Leur corps est divisé en segments dont chacun porte une paire d'appendices qui peuvent être des pattes, des antennes ou d'autres éléments selon la partie du corps où ils sont implantés.

LE SQUELETTE EXTERNE OU EXOSQUELETTE

Il donne une forme au corps et sert de point d'appui aux muscles. Il agit aussi comme une barrière qui sépare l'intérieur du corps du milieu dans lequel il vit. Il est imperméable et, par conséquent, permet à certains arthropodes de vivre dans des lieux extrêmement secs et chauds comme les déserts.

Le composant principal de l'exosquelette est la **chitine**.

Des animaux comme les **insectes**, les **araignées**, les **crustacés**, les **mille-pattes** et d'autres classes moins connues font partie des arthropodes.

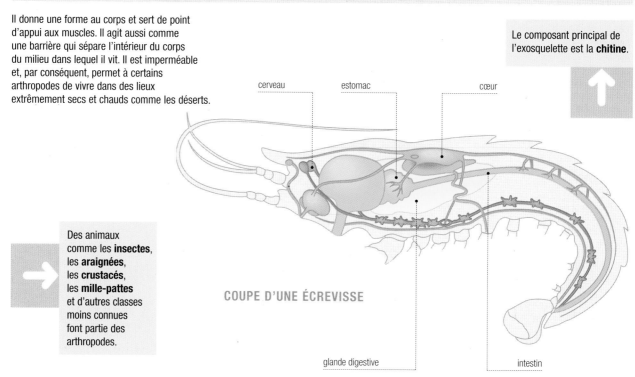

cerveau   estomac   cœur

glande digestive   intestin

COUPE D'UNE ÉCREVISSE

UN CORPS DIVISÉ EN SEGMENTS

Les arthropodes ont un corps divisé en segments dont chacun a une fonction particulière. Tous ces segments sont articulés entre eux et sont regroupés pour constituer les trois régions du corps : la **tête**, le **thorax** et l'**abdomen**.

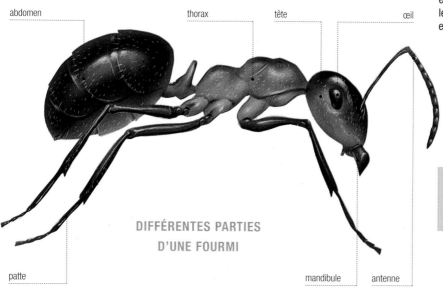

abdomen   thorax   tête   œil

patte   mandibule   antenne

DIFFÉRENTES PARTIES
D'UNE FOURMI

L'exosquelette rigide ne permet pas à l'animal de grandir. Sa croissance s'effectue par la **mue** : il perd sa vielle carapace et la remplace par une nouvelle enveloppe plus grande.

Introduction

Anatomie
et physiologie

Écologie

Invertébrés

Invertébrés.
Mollusques et
céphalopodes

Invertébrés.
Bivalves et
gastéropodes

Invertébrés.
Annélides

**Invertébrés.
Arthropodes**

Invertébrés.
Insectes et
échinodermes

Vertébrés

Vertébrés.
Poissons

Vertébrés.
Amphibiens

Vertébrés.
Reptiles

Vertébrés.
Oiseaux

Vertébrés.
Mammifères

Index

LES APPENDICES

Chacun des différents segments du corps d'un arthropode est doté d'une paire d'appendices **articulés** formés de plusieurs éléments qui peuvent bouger entre eux.

Chez les arthropodes primitifs, il y a deux appendices par segment dont la fonction est locomotrice. Au cours de l'évolution, certains de ces appendices sont devenus des organes sensoriels, par exemple des **antennes**. Dans certains cas, ils ont même disparu.

Les arthropodes constituent l'embranchement qui a connu le plus grand succès au cours de l'évolution. Il comprend plus d'un million d'espèces qui vivent dans tous les endroits de la planète, des montagnes les plus élevées aux fosses les plus profondes des océans.

LA REPRODUCTION

En général, les mâles et les femelles sont différents. Ce sont des **ovipares**. Dans certains cas exceptionnels, les femelles incubent leurs œufs à l'intérieur de leur corps où les petits naissent, puis sortent à l'extérieur déjà formés (**ovoviviparité**).

Plusieurs arthropodes ont des comportements très élaborés. Par exemple, certains scorpions protègent leurs petits en les transportant sur leur dos quand ils viennent de naître.

Les différentes phases de la reproduction du ver à soie :
1. adulte sur le point d'abandonner son cocon ;
2. femelle au moment de la ponte ;
3. chenille mangeant une feuille de mûrier ;
4. chenille qui commence à tisser le cocon ;
5. cocon en formation.

LES ARACHNIDES

Les **araignées** et les **scorpions** appartiennent à cette classe qui compte aussi les **opilions**, comme le faucheur aux longues pattes grêles, les **acariens** tel le tique au corps rond, ainsi que d'autres sous-classes moins connues.

LES CARACTÉRISTIQUES DES ARACHNIDES

Les arachnides se distinguent des autres groupes d'arthropodes par la présence de deux **chélicères**, des appendices en forme de pince, placés en avant de la bouche. Une autre de leurs particularités est de ne jamais avoir d'**antennes**.

Leur corps est divisé en deux régions, chacune d'elles comprenant plusieurs segments. Ces régions sont séparées par un rétrécissement qui porte le nom de « **taille** ». La partie antérieure, le **céphalothorax**, est la région du corps qui abrite les structures chargées de l'alimentation, des sens et de la locomotion. L'arachnide possède toujours six paires d'appendices : les **chélicères**, les **pédipalpes** et enfin quatre paires de **pattes ambulatoires**. La partie postérieure, l'**abdomen**, est dépourvue d'appendices. Elle renferme les organes circulatoires, digestifs, respiratoires et reproducteurs.

Les araignées ont 8 pattes et les insectes seulement 6.

Beaucoup d'espèces d'**acariens** sont des **parasites** nuisibles : les **tiques** parasitent les animaux et les **araignées rouges** parasitent les plantes.

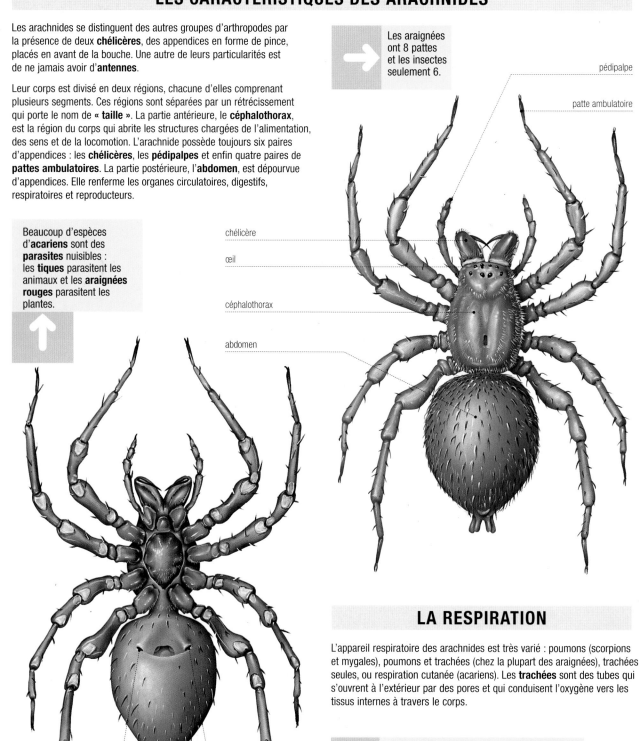

pédipalpe

patte ambulatoire

chélicère

œil

céphalothorax

abdomen

orifices respiratoires

LA RESPIRATION

L'appareil respiratoire des arachnides est très varié : poumons (scorpions et mygales), poumons et trachées (chez la plupart des araignées), trachées seules, ou respiration cutanée (acariens). Les **trachées** sont des tubes qui s'ouvrent à l'extérieur par des pores et qui conduisent l'oxygène vers les tissus internes à travers le corps.

Quelques rares espèces d'arachnides comme les palpigrades (minuscules arachnides à l'abdomen allongé et articulé) respirent à travers la peau.

DES PRÉDATEURS FÉROCES

Les arachnides sont en majorité **carnivores**. Ils se nourrissent d'autres invertébrés. Certaines espèces parasitent des plantes ou les consomment, comme quelques acariens. Le mode de capture des proies dépend des espèces. Par exemple, de nombreuses araignées tissent des toiles aux fils collants où les insectes viennent se prendre. D'autres araignées ainsi que les scorpions guettent leurs proies et les attendent cachés au fond d'un trou ; quand elles passent à leur portée, ils se jettent dessus et les immobilisent grâce à leur venin.

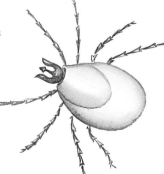

Parmi les espèces parasites se trouve la redoutable **tique.** Elle transmet de nombreuses maladies provoquées par des micro-organismes qu'elle injecte à sa victime par morsure.

L'araignée enveloppe sa proie d'un liquide digestif qui la dissout. Elle absorbe ensuite le liquide. Ce processus est nécessaire, car l'araignée est dépourvue de mandibules.

Une araignée en train de tisser sa toile ; celle-ci lui permet de se déplacer et de capturer sa proie.

LES CRUSTACÉS

Ce sont des arthropodes, **aquatiques** en majorité, qui ont colonisé avec succès aussi bien les eaux douces que les mers. Il existe aussi un important groupe de parasites qui vivent à l'extérieur ou à l'intérieur des corps d'autres animaux. Leur organisme est divisé en trois sections.

CARACTÉRISTIQUES DES CRUSTACÉS

DIFFÉRENTES PARTIES D'UN CRUSTACÉ (UNE CREVETTE)

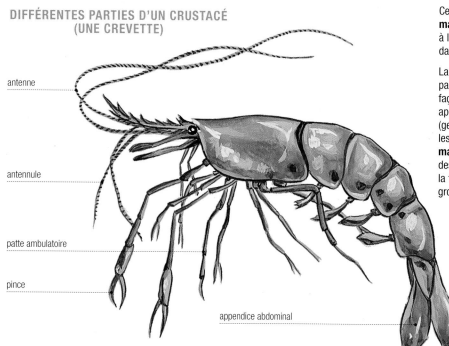

antenne

antennule

patte ambulatoire

pince

appendice abdominal

Ce sont des arthropodes pourvus de **mandibules**. Ils respirent presque tous à l'aide de **branchies** et leur anus se trouve dans la dernière section du corps.

La première section du corps est formée par sept segments toujours disposés de la façon suivante : les 1er et 2e segments sans appendices, le 3e porte les **antennules** (genre d'antennes), le 4e les **antennes**, le 5e les **mandibules**, le 6e les **maxillules**, le 7e les **maxilles**. Les deux autres sections ont aussi des appendices, les pattes par exemple, dont la forme et l'emplacement varient selon les groupes.

On connaît quelque 35 000 espèces de crustacés.

LES DÉCAPODES OU CRUSTACÉS À DIX PATTES

Ce sont les crustacés les plus connus avec les **crabes**, les **crevettes**, les **langoustes**, les **étrilles**, les **écrevisses** et les **homards**. Ils vivent en général dans la mer, des zones proches du littoral jusqu'aux profondeurs abyssales. De nombreuses espèces présentent un intérêt économique, car elles constituent des mets très appréciés par l'homme.

Il existe de nombreuses espèces de crabes (d'eau douce ou salée) dont la plupart sont comestibles.

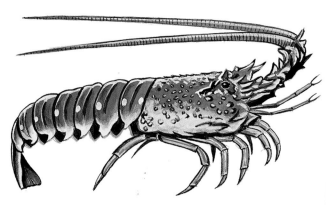

La langouste commune, en particulier celle qui vit en eau froide, constitue un mets savoureux.

Les crustacés ont un corps recouvert d'une carapace dure qui leur sert de squelette externe. Pour de nombreuses espèces, cette **carapace** est renforcée grâce à la présence de calcaire, comme chez le tourteau ou l'étrille.

LA REPRODUCTION

Chez la grande majorité des espèces, les sexes sont séparés : c'est-à-dire qu'il y a des mâles et des femelles. Généralement, la femelle transporte les **œufs** dans des appendices spécialisés situés dans sa région abdominale. À l'éclosion des œufs, les larves ne présentent aucune ressemblance avec les adultes et changent plusieurs fois de forme.

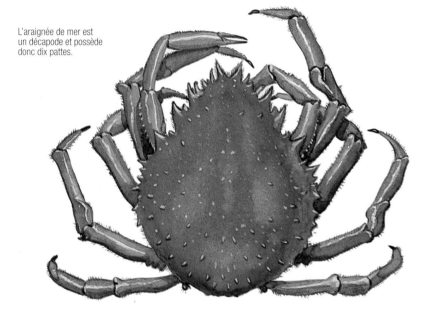

L'araignée de mer est un décapode et possède donc dix pattes.

Les crustacés **parasites**, qui vivent à l'intérieur d'autres animaux, ont un corps qui a subi tant de modifications qu'il est impossible à première vue de les identifier comme des crustacés. Cela n'est possible qu'en étudiant leurs phases larvaires.

Les langoustes et les homards (sur le dessin), très appréciés des gastronomes, présentent un grand intérêt économique. Pour cette raison, on les élève dans des viviers.

Les pouces-pieds sont des crustacés hermaphrodites. Ils vivent sur les côtes battues par les vagues et adhèrent fortement aux rochers grâce à un pédoncule. Ils sont comestibles.

LES CLOPORTES

Ce sont les seuls crustacés qui ont conquis le milieu **terrestre** et sont capables d'y vivre de façon permanente. Ils ont besoin cependant d'un fort degré d'humidité pour ne pas se déshydrater. On les rencontre dans les lieux sombres et humides, sous les feuilles et les pierres, dans des grottes.

Un cloporte.

Le **krill** est un petit crustacé qui vit en groupes importants ; il constitue la base de la nourriture des baleines.

LES INSECTES À MÉTAMORPHOSE COMPLÈTE

Les insectes constituent le groupe du monde animal auquel appartient le plus grand nombre d'espèces (plus d'un million) et d'individus. Ce sont des arthropodes pourvus de **mandibules** qui possèdent trois paires de pattes et souvent deux paires d'**ailes**. Ils se sont adaptés à la vie terrestre et peu d'espèces vivent dans l'eau.

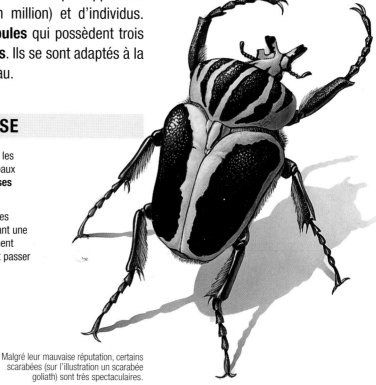

LA MÉTAMORPHOSE

Étant donné le nombre très important d'espèces, on peut diviser les insectes en plusieurs groupes et les classer suivant leurs principaux types de développement. Certains présentent des **métamorphoses complètes** et d'autres des **métamorphoses incomplètes**.

La métamorphose est l'ensemble des transformations successives que subissent les larves des insectes. Pour les insectes présentant une métamorphose complète, les œufs pondus par une femelle donnent naissance à des larves très différentes des adultes. Elles doivent passer par différents stades pour atteindre celui d'adulte.

Pour différencier une larve d'insecte d'un ver, il faut voir s'il y a trois paires de pattes. La présence de ces pattes indique qu'il s'agit d'une larve d'insecte.

Malgré leur mauvaise réputation, certains scarabées (sur l'illustration un scarabée goliath) sont très spectaculaires.

LA VIE DES LARVES

Les larves naissent des œufs et ont besoin de s'alimenter pour avoir des réserves. Elles passent donc des jours et même des semaines à chercher de quoi manger. Elles sont souvent si voraces qu'elles peuvent provoquer de véritables dégâts si elles sont très nombreuses. En effet, les **chenilles** qui mangent des feuilles peuvent affaiblir un arbre au point de le faire périr.

Les **mouches** sont aussi des insectes avec une phase larvaire. Elles pondent leurs œufs sur des cadavres ou tout autre matière organique pour que leurs larves puissent y trouver de quoi se nourrir. De nombreux **scarabées** pondent des œufs sur du bois et leurs larves s'alimentent en y creusant des galeries.

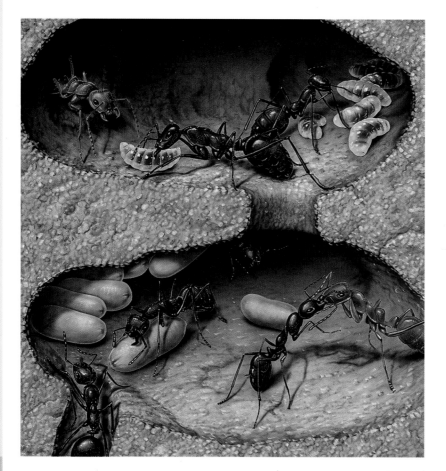

Les **fourmis** prennent soin de leurs œufs et de leurs larves, leur apportant la nourriture nécessaire.

LES NYMPHES

Une fois que les larves ont suffisamment de réserves, elles fabriquent autour d'elles une structure plus ou moins rigide (une capsule) où elles passent plusieurs jours pendant lesquels leur corps subit de profondes transformations pour aboutir à un insecte adulte. Dans sa capsule, la larve porte le nom de « nymphe ». Elle est immobile, telle une momie, attendant de devenir l'insecte parfait.

Pour se transformer en nymphe, les larves des insectes peuvent se cacher sous des pierres, dans un tronc, sous l'écorce des arbres ou sous terre.

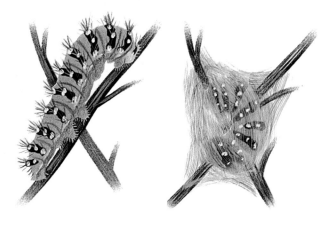

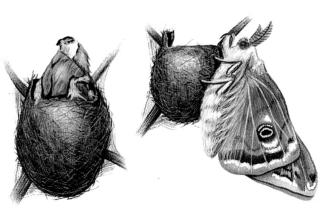

Quand la **chenille** du papillon de nuit va se transformer, elle s'enferme dans un **cocon** et reçoit le nom de « **chrysalide** ». Au bout de quelques jours, un papillon adulte apparaît après avoir percé l'enveloppe de la chrysalide.

LES ORGANES DES SENS DES INSECTES

Ces organes sont très développés. De nombreuses espèces possèdent des poils récepteurs du **toucher** répartis sur toute la surface de leur corps et en particulier de leurs pattes. Certains ont aussi des organes récepteurs du **son**, que ce soient des poils ou des **tympans**.

Les **yeux** peuvent être simples (**ocelles**) ou complexes. Ils leur permettent de distinguer les changements de lumière, les couleurs et quelque fois de définir la forme des objets. Ils sont aussi capables de percevoir des couleurs que les hommes ne voient pas, comme les rayons ultraviolets.

Les scarabées font partie de l'ordre des **coléoptères** qui constituent le groupe le plus important d'insectes (300 000 espèces environ).

Chez les mouches et d'autres insectes, les récepteurs du goût sont situés dans les pattes.

LES INSECTES À MÉTAMORPHOSE INCOMPLÈTE

Chez les insectes à métamorphose incomplète, les œufs donnent naissance à des **nymphes** plus petites que les adultes, mais qui leur ressemblent beaucoup.

Par la suite, elles subissent quelques changements et grandissent. Les **sauterelles** et les **punaises** sont les insectes les plus connus de ce groupe.

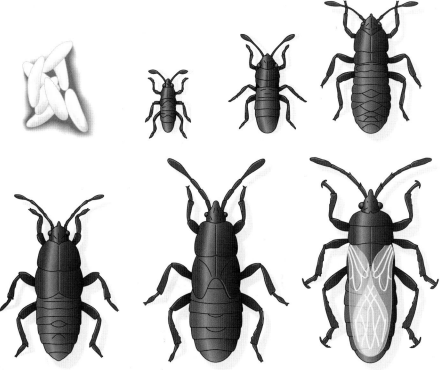

Le développement complet d'une punaise des bois, depuis l'œuf jusqu'à l'insecte adulte.

LES NYMPHES

Chez les insectes à métamorphose incomplète, les nymphes sont actives : elles se nourrissent. Elles ressemblent beaucoup aux adultes bien que quelques caractéristiques diffèrent. Par exemple, elles ne possèdent généralement pas d'ailes bien constituées, mais des structures très simples qui, au fil des **mues**, deviendront des ailes. En général, les nymphes sont plus petites que les adultes et leur coloration peut être différente.

Le comportement des nymphes et des adultes peut présenter aussi de nombreuses variantes. Certaines nymphes sont carnivores alors que les insectes adultes sont herbivores. D'autres sont aquatiques à l'état de nymphe, puis terrestres au stade adulte.

Les insectes respirent comme les **araignées**, au moyen d'un système de **trachées** : des tubes où l'air circule et qui parcourent le corps pour atteindre tous les tissus. Certaines larves aquatiques ont des **branchies** pour absorber l'oxygène de l'eau.

DE QUOI SE NOURRISSENT LES INSECTES ?

Leur alimentation est très variée. Certains sont **herbivores**, d'autres **carnivores**, d'autres encore se nourrissent de matière organique en décomposition. Selon la nature de leurs aliments, leur bouche est différente.

Insecte	Type de nourriture	Forme de la bouche
fourmi	feuilles, herbe, etc.	mandibules solides
scarabée	autres insectes	mandibules solides
papillon	nectar des fleurs	trompe allongée
mouche	liquides organiques	trompe
moustique	sang d'autres animaux	tube fin comme une aiguille
punaise des bois	sève	tube fin

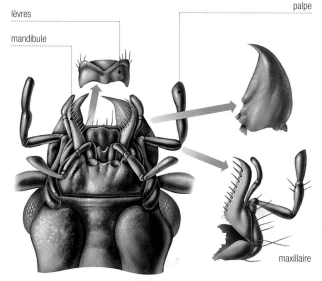

Les scarabées possèdent un puissant appareil buccal.

LE COMPORTEMENT

Le comportement des insectes est très élaboré. Certaines espèces, comme les **abeilles**, les **termites** ou les **fourmis**, forment de véritables sociétés dans lesquelles chaque individu accomplit des tâches particulières. Nous savons qu'ils peuvent communiquer entre eux au moyen de langages composés de sons, d'indications visuelles, d'odeurs, de danses.

Les **mantes religieuses** femelles mangent les mâles après l'accouplement afin d'avoir les réserves de nourriture nécessaires pour le développement complet des œufs.

Des abeilles à l'intérieur de leur ruche.

Les **grillons** communiquent entre eux par des sons stridents qu'ils produisent en frottant leurs élytres l'un contre l'autre sur les nervures dentées. Pour percevoir les sons, ils possèdent un tympan sur le thorax qui, vu de l'extérieur, apparaît comme une tache noire.

LES ÉCHINODERMES

Animaux exclusivement **marins**, ils possèdent un **cœlome**. Ils sont caractérisés par une **symétrie rayonnante**. Ils vivent fixés au fond de la mer ou s'y déplacent librement. Ils ont un régime très varié : ils peuvent filtrer le plancton, se comporter en **carnivores** ou **herbivores**.

ANATOMIE

Tous les échinodermes ont un **squelette interne** constitué de plusieurs plaques calcaires soudées de différentes tailles qui donnent sa forme à l'animal. Sur cette **carapace** se trouve l'épiderme muni d'un certain nombre de piquants ou de saillies plus ou moins importantes selon les groupes auxquels ils appartiennent. Il est impossible de distinguer une **tête** bien définie. La bouche et l'anus se trouvent aux deux extrémités du corps.

Le **système nerveux** est formé par trois anneaux de nerfs situés dans la partie centrale du corps et d'où partent des prolongements qui vont jusqu'aux extrémités.

DIFFÉRENTES PARTIES D'UN BRAS D'ÉTOILE DE MER

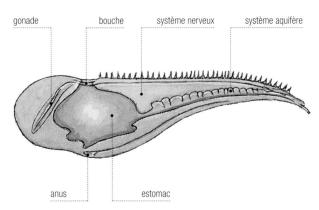

gonade — bouche — système nerveux — système aquifère

anus — estomac

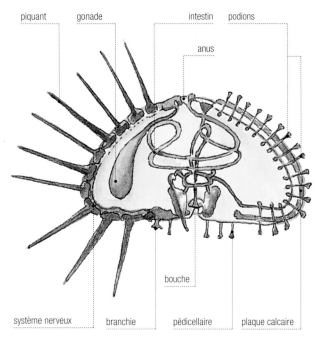

piquant — gonade — intestin — podions

anus

bouche

système nerveux — branchie — pédicellaire — plaque calcaire

COUPE D'UN OURSIN

La locomotion des échinodermes se fait à l'aide d'organes cylindriques érectiles, les **podions**, qui se gonflent par l'introduction sous pression du liquide sanguin. L'appareil qui contient le liquide se compose de vésicules et de vaisseaux reliés entre eux.

LA REPRODUCTION ET LA RÉGÉNÉRATION

Les ovules et les spermatozoïdes que les échinodermes ont répandus dans l'eau s'unissent, et la fécondation se produit. Au bout de quelques heures ou jours apparaissent de petites larves, à la symétrie bilatérale, très différentes de leurs parents. Elles nagent un certain temps et se laissent porter par les courants marins, puis se posent sur le fond pour devenir des adultes.

Quand une étoile de mer perd l'un de ses bras, l'animal le remplace par **régénération**. Un seul morceau de bras suffit à reconstituer une nouvelle étoile de mer entière. C'est ce qu'on appelle la « **multiplication asexuée** ».

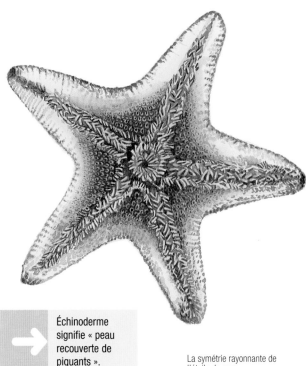

Échinoderme signifie « peau recouverte de piquants ».

La symétrie rayonnante de l'étoile de mer.

LES TYPES D'ÉCHINODERMES

Les **crinoïdes**, ou **lis de mer**, vivent fixés au fond des mers par des cirres (des sortes de pattes) se trouvant dans la partie inférieure de leur corps. La partie supérieure est munie d'une couronne de cinq (ou un multiple de cinq) bras mobiles.

Les **astérides**, ou **étoiles de mer**, présentent un disque central et cinq bras périphériques (mais ce nombre peut être plus important chez certaines espèces).

Les **ophiurides**, ou **ophiures**, ressemblent aux étoiles de mer, mais leurs bras sont complètement séparés les uns des autres et ils sont capables de se mouvoir plus rapidement.

Les **échinides**, ou **oursins**, ont un corps globuleux recouvert en général de longs piquants.

Les **holothurides**, ou **holothuries**, ont un corps allongé et vivent posées au fond des mers.

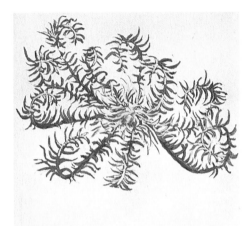

lis de mer

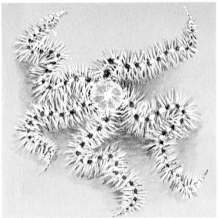

ophiure

oursin

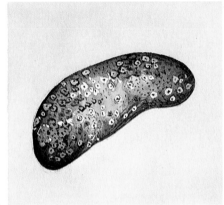

holothurie

Les échinodermes naissent avec une symétrie bilatérale, mais ils la perdent en grandissant et adoptent alors une symétrie rayonnante.

GASTRONOMIE

Depuis des temps immémoriaux, les hommes consomment certaines espèces d'oursins et d'holothuries. Chez les oursins, on mange les **gonades** (glandes reproductrices) qui ont généralement une teinte orangée. La préparation des holothuries varie en fonction des régions du monde ou elles sont consommées.

On a découvert que certaines substances extraites des holothuries étaient anticancéreuses.

Les étoiles de mer vivent en général sur des fonds marins peu profonds et se nourrissent d'huîtres et de mollusques.

GÉNÉRALITÉS SUR LES VERTÉBRÉS

Les vertébrés constituent un embranchement d'animaux ayant un **squelette interne** cartilagineux ou osseux dont la pièce maîtresse est la **colonne vertébrale**. Les vertébrés présentent une **symétrie bilatérale** extrêmement parfaite.

LA COLONNE VERTÉBRALE

Cette structure est la caractéristique des vertébrés. D'autres éléments lui sont rattachés, comme les **pattes**, qui permettent à l'animal de se déplacer. La colonne vertébrale la plus primitive consiste en une série de simples plaques cartilagineuses qui entourent la **corde dorsale** et la renforcent. Chez d'autres espèces un peu plus évoluées, ces plaques cartilagineuses deviennent des pièces fixes, les premières **vertèbres**. Pour tous les animaux les plus évolués, le tissu des vertèbres est osseux **(os)**.

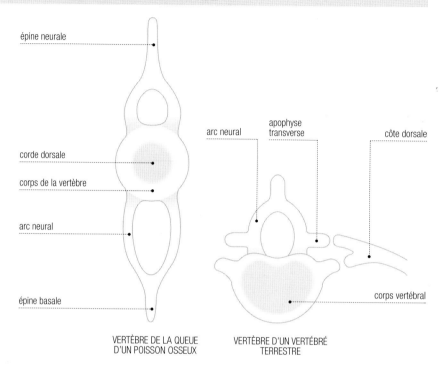

épine neurale

corde dorsale

corps de la vertèbre

arc neural

épine basale

arc neural

apophyse transverse

côte dorsale

corps vertébral

VERTÈBRE DE LA QUEUE D'UN POISSON OSSEUX

VERTÈBRE D'UN VERTÉBRÉ TERRESTRE

La colonne vertébrale est un ensemble de vertèbres reliées entre elles formant un axe plus ou moins flexible.

CARACTÉRISTIQUES D'UN VERTÉBRÉ

Le principal caractère d'un vertébré est d'avoir une colonne vertébrale plus ou moins complexe. Son corps est divisé en différentes parties comme la **tête**, le **tronc** et la **queue** (même si cette dernière disparaît ensuite le plus souvent). La **corde dorsale** est toujours présente chez l'embryon et seules quelques espèces la conservent. L'**appareil circulatoire** est clos, contenant un sang rouge, et le **cœur** est compartimenté en deux, trois ou quatre cavités.

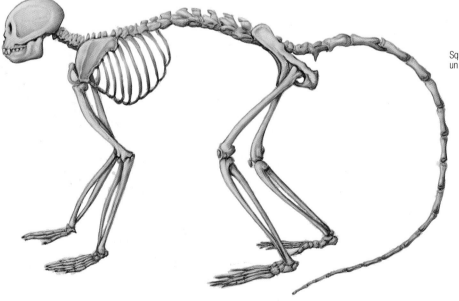

Squelette d'un vertébré typique, un singe.

Les vertébrés constituent le groupe animal qui a colonisé la plus grande partie de la planète.

LES GROUPES DE VERTÉBRÉS

Au cours de l'évolution, différents groupes de vertébrés sont apparus. Les plus primitifs, comme les **lamproies**, ne possèdent pas de **mâchoires**. Tous les autres en ont. Nés dans la mer, ils ont évolué dans plusieurs directions. Ceux qui ont continué à vivre dans l'eau forment la classe des **poissons** et sont dépourvus de pattes. Les autres sont partis à la conquête de la terre ferme et ont développé des pattes. Ils forment le groupe des **tétrapodes** (cela signifie avec quatre pattes). Les **oiseaux** ont vu leurs pattes antérieures se transformer en ailes et pour certains **mammifères** (par exemple les baleines), les pattes sont devenues des nageoires, mais tous ces changements se sont produits ultérieurement.

Malgré leur aspect très différent, tous les vertébrés possèdent la même structure de base.

La **lamproie** est l'un des vertébrés les plus primitifs.

Certains vertébrés, comme les serpents, n'ont plus de pattes. On les retrouve, réduites à l'état de vestiges, au niveau du squelette.

Le cobra est un reptile dépourvu de pattes qui se déplace en rampant.

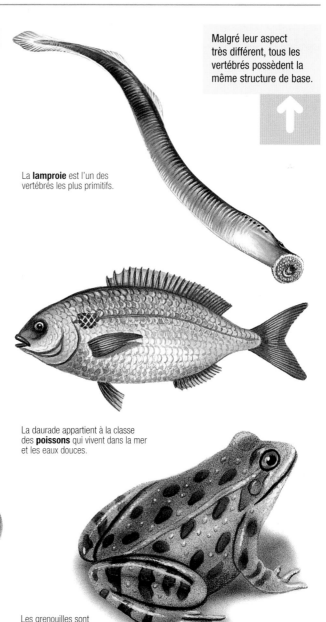

La daurade appartient à la classe des **poissons** qui vivent dans la mer et les eaux douces.

Les grenouilles sont des **amphibiens** qui peuvent aussi bien vivre sur la terre que dans l'eau.

Les ailes sont des pattes qui se sont transformées pour augmenter la surface de sustentation.

Le perroquet africain est un **oiseau** qui se déplace en battant des ailes.

La vigogne est un mammifère qui se déplace grâce à ses quatre pattes.

LES POISSONS

Les **poissons** sont des vertébrés aquatiques avec un **squelette** osseux ou cartilagineux. Ils sont dépourvus de pattes et ont, à leur place, des nageoires. Ils respirent au moyen de **branchies**. Ils sont à **sang froid** et se reproduisent en pondant des **œufs**.

LES LAMPROIES

Les lamproies sont les vertébrés vivants les plus primitifs. Elles ont des allures de poisson, mais forment une classe distincte. Elles ressemblent à des anguilles et nagent grâce aux contractions de leur corps.
Leur **squelette**, des plus simples, est formé d'une **corde dorsale** et de plusieurs plaques cartilagineuses qui servent de fixations.
À la place de mâchoires, elles possèdent un disque buccal suceur muni de **dents**.

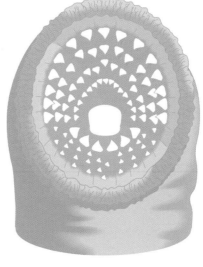

Lamproie fixée
sur une de ses proies.

Disque buccal suceur de la lamproie
muni de petites dents.

La bouche de la lamproie est pourvue de plusieurs cercles de petites dents qui lui servent à déchirer la peau de ses proies.

Les lamproies ne sont pas des poissons malgré leur ressemblance avec ces derniers. Elles font partie des **agnathes**.

LA VIE D'UNE LAMPROIE

À la naissance, la lamproie est une petite **larve** transparente qui va immédiatement se cacher dans la vase, au fond des rivières. Elle y reste de trois à cinq ans avant de devenir **adulte** au terme de son développement. Ensuite, elle descend la rivière jusqu'à la mer. Pour se nourrir, elle se fixe sur un poisson à l'aide de sa ventouse buccale. Elle lui provoque une blessure et par cet orifice aspire du sang. Au moment de la reproduction, les lamproies cessent de se nourrir, retournent vers les rivières et les remontent jusqu'à un endroit peu profond où elles pondent leurs œufs. Ensuite, les adultes meurent.

Les lamproies sont comestibles et, dans de nombreux endroits, on les pêche pour les fumer ou les consommer fraîches.

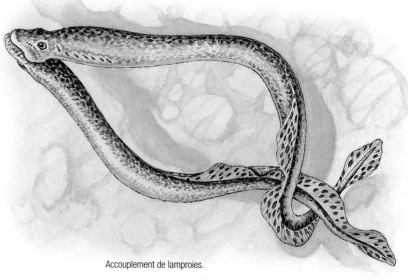

Accouplement de lamproies.

LE SQUELETTE DES POISSONS

On distingue deux types de squelette : le squelette cartilagineux, fait de cartilages, et le squelette osseux constitué d'os. On classe donc les poissons en deux groupes : les **poissons cartilagineux** (les requins, par exemple) et les **poissons osseux** tels que les truites.

DIFFÉRENTES PARTIES D'UN POISSON

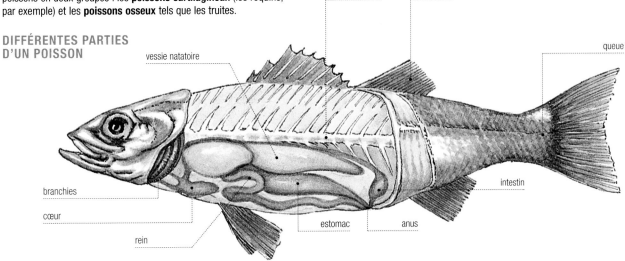

LES ÉCAILLES

La majorité des poissons osseux ont un corps recouvert d'écailles. Ces éléments produits par la peau forment une espèce de cuirasse afin de la protéger contre l'action de l'eau et des substances dissoutes qui s'y trouvent. Grâce aux différents **pigments**, présents dans la peau et les écailles, de nombreux poissons, comme ceux qui vivent dans les récifs de coraux, sont très colorés.

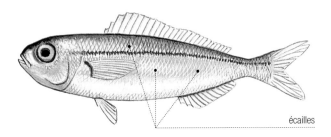

écailles

LES NAGEOIRES

Contrairement à des pattes, elles ne sont pas rattachées à la colonne vertébrale. Ce sont des excroissances parfois fixées à des os situés à l'intérieur du corps. Elles servent au poisson à se propulser dans l'eau quand il nage. Elles lui permettent de changer de direction ou de se maintenir sans bouger à une certaine profondeur.

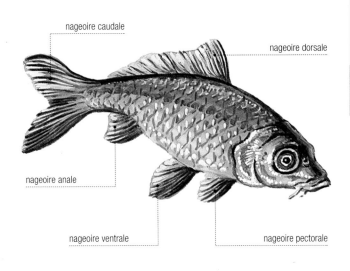

LES BRANCHIES

Les branchies constituent l'**appareil respiratoire** des poissons. Ce sont de fines lamelles de tissus sur lesquelles l'eau circule. L'oxygène dissous est absorbé à travers de petits **capillaires** sanguins qui irriguent ces lamelles.

En comptant le nombre de stries d'une de ses écailles, on arrive à déterminer l'âge d'un poisson.

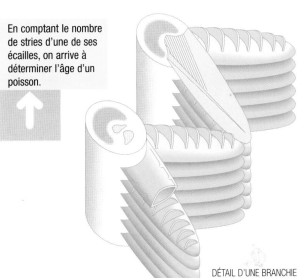

DÉTAIL D'UNE BRANCHIE
D'UN POISSON

69

LES SÉLACIENS OU POISSONS CARTILAGINEUX

La principale caractéristique de ces poissons est d'avoir un squelette qui n'est pas constitué d'os mais de **cartilages**. Les adultes n'ont pas perdu leur **corde dorsale.** Leur corps est recouvert de **denticules** ou écailles placoïdes, homologues des dents des autres vertébrés.

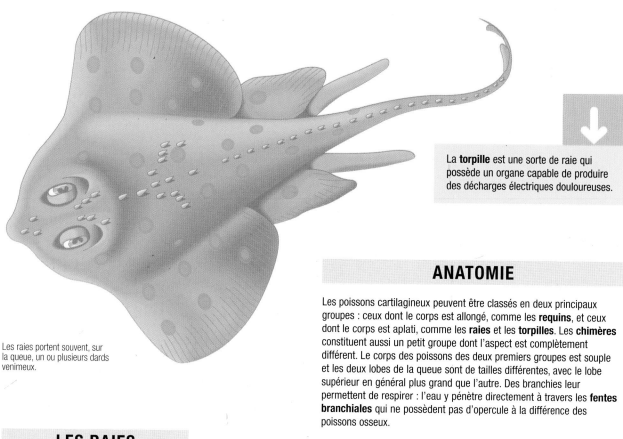

Les raies portent souvent, sur la queue, un ou plusieurs dards venimeux.

La **torpille** est une sorte de raie qui possède un organe capable de produire des décharges électriques douloureuses.

ANATOMIE

Les poissons cartilagineux peuvent être classés en deux principaux groupes : ceux dont le corps est allongé, comme les **requins**, et ceux dont le corps est aplati, comme les **raies** et les **torpilles**. Les **chimères** constituent aussi un petit groupe dont l'aspect est complètement différent. Le corps des poissons des deux premiers groupes est souple et les deux lobes de la queue sont de tailles différentes, avec le lobe supérieur en général plus grand que l'autre. Des branchies leur permettent de respirer : l'eau y pénètre directement à travers les **fentes branchiales** qui ne possèdent pas d'opercule à la différence des poissons osseux.

LES RAIES

Ces poissons ont un corps en forme de disque aplati avec de fortes nageoires pectorales développées en ailerons et soudées à la tête. Les **fentes branchiales** sont placées sur la face ventrale. Les raies nagent en faisant onduler leurs grandes nageoires. Certaines vivent sur les fonds marins alors que d'autres se déplacent librement en pleine mer.

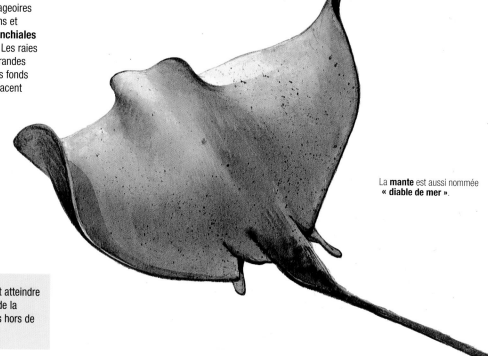

La **mante** est aussi nommée « **diable de mer** ».

La **mante** est une raie qui peut atteindre 5 m d'envergure. Elle vit près de la surface et fait de grands bonds hors de l'eau.

LES REQUINS

Leur corps est habituellement en forme de fuseau, sombre dessus et clair en dessous. Les **fentes branchiales** se trouvent de chaque côté de la tête. Ils ont un odorat très développé. Ce sont de grands prédateurs. Leur bouche est munie de plusieurs rangées de **dents** qui, au fur et à mesure de leur usure, sont remplacées par de nouvelles provenant de la rangée suivante.

Le requin blanc peut mesurer près de 8 m de long et peser plus de 3000 kg.

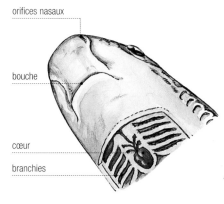

orifices nasaux

bouche

cœur

branchies

Les requins se nourrissent de poissons, de charognes et d'autres animaux aquatiques comme les phoques. Seules certaines espèces sont dangereuses pour l'homme.

Le poisson-scie se sert de ses deux rangées de dents pour se défendre et fouiller le fond des mers.

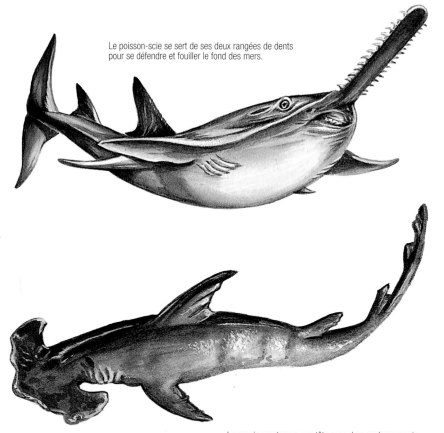

Le requin-marteau a une tête avec deux prolongements latéraux où se trouvent les yeux.

LA REPRODUCTION

La **fécondation** est interne. Les mâles ont un organe copulateur qui leur permet d'introduire les spermatozoïdes dans le corps de la femelle. Les femelles **ovipares** pondent des œufs de grande taille avec une bonne quantité de **vitellus** à l'intérieur d'un sac protecteur corné dont la forme est caractéristique. D'autres espèces sont **ovovivipares** : les œufs éclosent dans le ventre de la femelle, puis les petits sortent vivants dans la mer.

LES OSTÉICHTHYENS OU POISSONS OSSEUX

Ces poissons possèdent un **squelette interne osseux**. Leur corps est recouvert d'écailles plates aux formes diverses et aux couleurs variées. Ils respirent au moyen de branchies et leurs **fentes branchiales** sont recouvertes par un **opercule**. Ils vivent aussi bien dans la mer qu'en eau douce.

L'esturgeon peut atteindre 6 m de long.

 Les **esturgeons** sont des poissons osseux primitifs qui ont des plaques osseuses à la place des écailles. Leurs œufs servent à préparer le fameux caviar.

CARACTÈRES ANATOMIQUES

Les poissons osseux ont généralement une forme caractéristique, mais il existe de nombreuses variantes. Certains sont allongés comme des serpents (les anguilles), ou ronds (poissons-globes), ou même présentent des formes atypiques, comme les hippocampes. Les nageoires, très importantes pour la natation, ont des formes très diverses. Leur squelette est formé d'un grand nombre d'os et beaucoup ont aussi des arêtes dont le rôle est de maintenir le corps ou les organes.

LES MIGRATIONS

De nombreux poissons osseux font de longs voyages pour se reproduire. Certains, comme les **thons**, reviennent chaque année au même endroit pour y pondre leurs œufs. D'autres font ce voyage une seule fois dans leur vie. Des poissons de rivière, comme les **anguilles**, regagnent la mer pour libérer leurs œufs et les jeunes immatures **(alevins)** retournent dans les cours d'eau pour grandir et devenir adultes. D'autres, comme le **saumon**, naissent près des sources des rivières et ensuite regagnent la mer pour grandir et devenir adultes ; quand vient le moment de la reproduction, ils regagnent la rivière où ils sont nés pour y déposer leurs œufs.

Les pêcheurs profitent des migrations de nombreuses espèces pour les capturer, par exemple les thons ou les saumons.

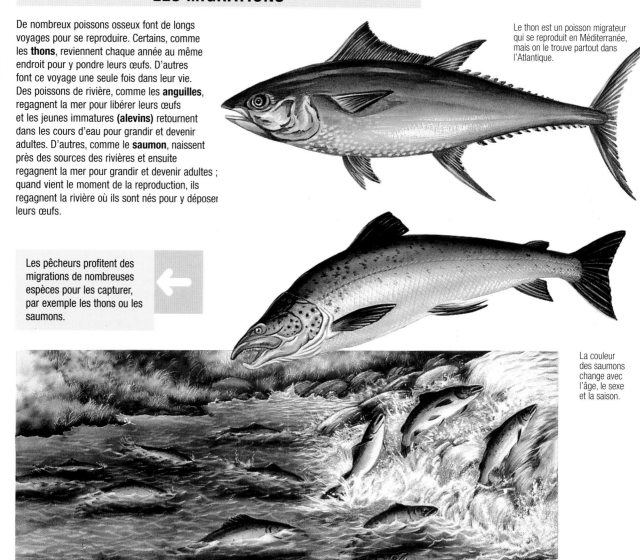

Le thon est un poisson migrateur qui se reproduit en Méditerranée, mais on le trouve partout dans l'Atlantique.

La couleur des saumons change avec l'âge, le sexe et la saison.

L'ALIMENTATION

Les poissons osseux peuvent se nourrir du **plancton** qui se trouve dans l'eau ou de **détritus** (ils recherchent la matière organique mélangée à la vase ou au sable des fonds aquatiques). Ils sont **herbivores** (ils mangent des algues et autres plantes aquatiques) ou **carnivores** (ils chassent des poissons ou d'autres animaux). Très souvent, ils combinent ces différentes formes d'alimentation. Pour trouver leur nourriture, ils utilisent la vue (essentiellement les prédateurs), l'odorat ou des filaments tactiles, les **barbillons**.

 Beaucoup de poissons, qui vivent au fond des rivières, possèdent de longs **barbillons** au moyen desquels ils détectent la présence de petites proies enfouies dans la vase.

De nombreux poissons, comme les truites, changent de couleur au moment de la reproduction. Des taches apparaissent alors et leurs couleurs sont plus vives.

Le congre est un poisson qui ressemble à l'anguille et dont la chair est très appréciée.

Les sardines, les anchois et les harengs sont des poissons grégaires qui forment dans la mer des **bancs** de millions d'individus. Ils représentent une source de nourriture très importante pour l'homme.

L'anchois est un poisson grégaire : il vit en bancs de plusieurs centaines de milliers d'individus. On le consomme souvent en saumure.

LA REPRODUCTION

La majorité des poissons osseux ont une **fécondation externe** : les femelles déposent leurs œufs dans l'eau et les mâles libèrent ensuite leur sperme pour les féconder. Comme cela se produit au hasard, ces poissons pondent de grandes quantités d'œufs, parfois plusieurs millions. Dans certains cas, les œufs flottent entre deux eaux, essentiellement pour les espèces marines. Mais dans d'autres, les œufs se posent sur le fond ou restent accrochés à la végétation. Au bout de quelques jours, les **alevins** naissent. Ils doivent se nourrir et grandir rapidement pour échapper à leurs ennemis. Seules quelques rares espèces s'occupent de leurs petits et, dans ce cas, le nombre d'œufs pondus est restreint.

Autour des récifs coralliens et des côtes rocheuses, les poissons sont de couleurs et de formes très diverses. Malgré leurs couleurs, ils passent inaperçus dans leur milieu.

LES AMPHIBIENS

Ce sont des vertébrés qui vivent sur terre, mais dont la vie dépend de façon plus ou moins permanente de l'eau. Ils respirent grâce à leurs **poumons** et à travers leur peau, mais leurs petits vivent dans l'eau et respirent au moyen de **branchies**. Leur squelette est osseux et ils ont **quatre pattes**.

LE CORPS DES AMPHIBIENS

Chez la plupart des amphibiens, la peau est nue, dépourvue d'écailles et d'autres éléments, mais riche en **glandes**. Les quatre **membres** leur permettent de se déplacer sur le sol en rampant. Mais d'autres amphibiens peuvent faire des bonds grâce à leurs pattes postérieures. Leur cœur est divisé en trois cavités et ils possèdent un **système nerveux** bien développé. Ce sont des animaux à **sang froid** et ils demeurent inactifs lorsque la température est basse. Ils se nourrissent généralement d'insectes et d'invertébrés.

Les zones où les membres s'unissent à la colonne vertébrale se nomment des **« ceintures »**.

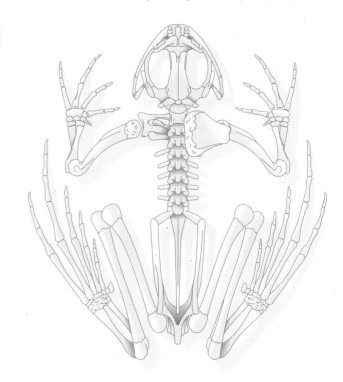

Vue dorsale du squelette d'une grenouille. Les os des pattes arrière sont très longs pour favoriser le saut.

LA REPRODUCTION

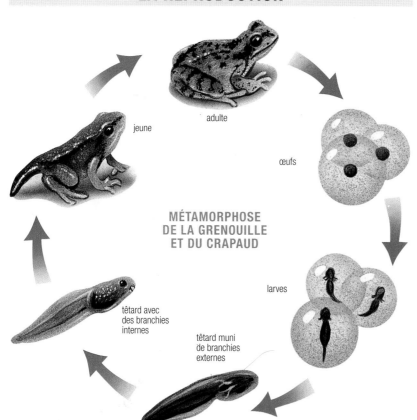

MÉTAMORPHOSE
DE LA GRENOUILLE
ET DU CRAPAUD

adulte

jeune

œufs

larves

têtard avec des branchies internes

têtard muni de branchies externes

Les amphibiens ont des **sexes séparés**, c'est-à-dire qu'il y a des mâles et des femelles. La fécondation est généralement externe. Ils sont le plus souvent **ovipares**, mais peuvent être **vivipares** ou **ovovivipares**. Dans certains cas, les parents s'occupent de leurs petits.

Dans la plupart des espèces, on observe une grande différence entre les petits et les sujets adultes puisque le développement passe par une **phase larvaire**. C'est la phase du têtard qui, contrairement aux adultes, vit dans l'eau et respire au moyen de **branchies**. Quand il sort de l'œuf, il a une queue, des branchies, mais pas de pattes. Quand il a atteint une certaine taille, des pattes apparaissent, les branchies commencent à disparaître et les **poumons** se forment. Lorsque le têtard respire hors de l'eau au moyen de ses poumons, il est adulte.

Pendant la période de reproduction, les mâles de nombreux amphibiens, particulièrement les grenouilles, émettent des chants pour attirer les femelles.

Un triton au moment de la reproduction.

Beaucoup d'espèces d'amphibiens sont en danger dans le monde entier et de nombreuses sont protégées.

TRITONS ET SALAMANDRES

Ils forment l'ordre des **urodèles**. Ce sont des amphibiens au corps allongé prolongé par une queue. Certains, comme les tritons, vivent toujours dans l'eau, alors que d'autres, comme les salamandres, ne vont dans l'eau que pour se reproduire. En général, ils ont des couleurs très vives.

GRENOUILLES ET CRAPAUDS

Ils forment l'ordre des **anoures**. Ce sont des amphibiens au corps compact, sans queue, et dont les pattes postérieures sont plus longues que les antérieures. Certains d'entre eux sont adaptés au saut. Ils vivent près de l'eau, même si certains crapauds sont capables de survivre dans le désert.

Certaines variétés de grenouilles et crapauds ont des pustules sur la peau. Elles contiennent un venin qui les protège de leurs ennemis.

œil

branchies

LES CÉCILIES

Ce sont des amphibiens qui représentent un petit groupe très différent des autres. Leur corps est allongé et dépourvu de pattes. Ils ressemblent à des serpents ou des vers. Leur peau est lisse, mais peut présenter des écailles sous-cutanées. La fécondation est interne, car les mâles possèdent un organe copulateur.

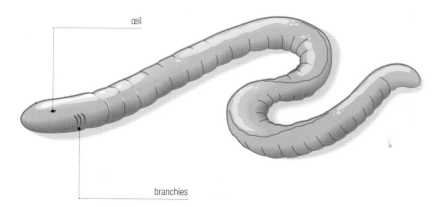

LES REPTILES ET LEURS ANCÊTRES

Les reptiles sont pour la plupart terrestres. Leur corps est couvert d'écailles cornées. Ils sont souvent munis de pattes. Des poumons leur permettent de respirer et ils ont un cœur divisé en trois ou quatre cavités. Ils se reproduisent en pondant des œufs et, à la naissance, les petits ressemblent à leurs parents.

CARACTÉRISTIQUES GÉNÉRALES

Les reptiles sont les premiers vertébrés qui se sont parfaitement adaptés à la vie sur la terre ferme. Des **pattes** solides leur permettent de soulever leur corps et de se déplacer. Elles sont munies de cinq doigts qui se terminent par des **ongles**. Ils respirent exclusivement à l'aide de **poumons**. Leur peau sèche, dépourvue de glandes, est protégée par des **écailles**. Ils ont des mâchoires avec des **dents**. Les reptiles les plus évolués ont un **cœur** pourvu de quatre cavités (deux ventricules et deux oreillettes), comme les oiseaux et les mammifères. Leur **appareil excréteur** est plus évolué que celui des amphibiens et proche de celui des animaux supérieurs.

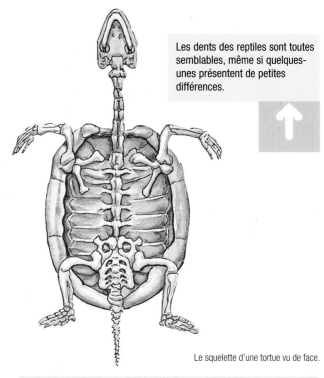

Les dents des reptiles sont toutes semblables, même si quelques-unes présentent de petites différences.

 Les poumons des reptiles ne sont pas de simples sacs comme ceux des amphibiens, mais possèdent des **bronches** et des **bronchioles** comme les mammifères.

Le squelette d'une tortue vu de face.

LA REPRODUCTION

La **fécondation** est de type interne, car les mâles disposent d'organes copulateurs. Les reptiles peuvent être **ovipares**, **ovovivipares** ou **vivipares**. La ponte a toujours lieu sur la terre ferme, y compris pour les espèces marines. Les femelles enfouissent leurs œufs dans des galeries. La principale adaptation de ces animaux a concerné ces œufs qui sont pourvus d'une coquille souple ou dure. C'est grâce à la chaleur du soleil ou à celle produite par les matières organiques en décomposition (feuilles, herbe, etc.) que les œufs se développent. Les petits naissent déjà formés, sans subir de métamorphose ; leur développement est direct.

Après l'incubation des œufs, les petits serpents naissent complètement formés.

 Certains reptiles ovipares, comme les tortues, enterrent leurs œufs et les abandonnent. Mais d'autres en prennent soin et les protègent, comme le font les crocodiles.

Les dinosaures se sont éteints il y a 60 millions d'années.

Introduction

Anatomie
et physiologie

Écologie

Invertébrés

Invertébrés.
Mollusques et
céphalopodes

Invertébrés.
Bivalves et
gastéropodes

Invertébrés.
Annélides

Invertébrés.
Arthropodes

Invertébrés.
Insectes et
échinodermes

Vertébrés

Vertébrés.
Poissons

Vertébrés.
Amphibiens

**Vertébrés.
Reptiles**

Vertébrés.
Oiseaux

Vertébrés.
Mammifères

Index

Les diplodocus vivaient en troupeaux.
Ils parcouraient la campagne en broutant.
Ils protégeaient leurs petits des
prédateurs en se plaçant autour d'eux.

LES DINOSAURES

C'est il y a environ 180 millions d'années, au **jurassique**, qu'ont vécu
les dinosaures, les ancêtres des reptiles actuels. Certains d'entre eux
furent les plus grands animaux qui ont jamais existé sur notre planète.
Il y avait des dinosaures de toutes les tailles : certains ne mesuraient
que quelques centimètres de long et d'autres plus de vingt-cinq mètres.
Ils étaient aussi très différents d'aspect. Certains vivaient dans les mers,
d'autres volaient, mais la majorité d'entre eux étaient terrestres. Les plus
grands, comme le **diplodocus** ou le **brontosaure**, étaient de pacifiques
herbivores. Mais le **tyrannosaure** ou le **mégalosaure**, qui pouvaient
atteindre 14 mètres de haut, étaient de redoutables prédateurs.

LES COUTUMES DES REPTILES

Leur régime alimentaire peut être **végétarien**,
carnivore ou les deux à la fois. Certains
reptiles, comme les tortues terrestres,
sont des animaux lents qui se nourrissent
de végétaux. Les tortues aquatiques, en
revanche, capturent des poissons ou d'autres
animaux. Les lézards sont capables d'attraper
de petits mammifères, comme le font les
serpents. Les plus grands reptiles actuels,
les crocodiles, capturent de très grandes
proies qu'ils noient avant de les dévorer.

Comme ce sont en général des animaux
à **sang froid**, les températures basses les
rendent inactifs. Pour réguler leur température
interne, ils se mettent sur des surfaces qui
gardent la chaleur, des rochers par exemple.
Si la chaleur est trop élevée, ils se réfugient
dans des trous ou gardent la bouche ouverte
pour se rafraîchir.

Le python n'est pas un serpent
venimeux, mais il est capable
de tuer de gros animaux en
les asphyxiant.

Les reptiles vivent dans les
régions tempérées ou tropicales
du monde entier. Ils sont surtout
abondants dans les endroits où
le climat est très chaud.

LES REPTILES ACTUELS

Tous les reptiles actuels, à l'exception d'une seule espèce, peuvent être classés en quatre grands groupes très différents en fonction de leur aspect : les **tortues**, les **lézards**, les **serpents** et les **crocodiles**. Ils ont tous, malgré leurs différences externes, la même structure interne.

LES TORTUES

Ces reptiles sont caractérisés par une **carapace** dans laquelle ils se réfugient quand ils sont attaqués. Cette carapace, formée de **plaques osseuses soudées** les unes aux autres, laisse le passage au cou, aux membres et à la queue. Complètement dépourvues de dents, qu'elles soient herbivores ou carnivores, les tortues ont un bec corné très solide. Elles vivent sur la terre ferme, comme la **tortue géante** des Galápagos, en eau douce, comme les **cistudes**, ou dans la mer, telle la **tortue luth.** Elles pondent dans des trous qu'elles creusent dans des sols mous ou dans le sable des plages. Les tortues marines parcourent des milliers de kilomètres pour aller pondre.

La carapace des tortues comprend deux parties : une partie dorsale **(bouclier)** et une partie ventrale **(plastron)**.

L'iguane est un grand lézard qui appartient probablement à l'une des espèces les plus anciennes de la Terre.

Cette tortue terrestre géante est l'emblème des îles Galápagos (Équateur).

La **tortue luth** peut mesurer 2 m de long et peser 500 kg.

LES LÉZARDS ET LES LACERTILIENS

Ces reptiles ont des pattes qui leur permettent de courir très rapidement. Leurs mâchoires sont dotées de dents. Ils sont généralement de couleur brune ou verte. On les trouve dans toutes les parties du monde. Ils vivent tantôt sur le sol, tantôt dans les arbres ou dans des trous et galeries, certains même dans l'eau. Ils sont carnivores dans leur grande majorité, mais quelques espèces peuvent être herbivores. Certaines, comme les **iguanes**, possèdent une crête dorsale caractéristique. La longueur des lézards varie de quelques centimètres à 2 m, tels les **varans** capables de capturer des cerfs.

La queue du lézard peut se détacher lorsqu'il est attaqué par un prédateur.

Le **caméléon** change de couleur pour se camoufler au milieu de la végétation. Il propulse sa langue collante pour capturer des insectes.

LES SERPENTS

Ces reptiles sont facilement reconnaissables à leur corps allongé et leur absence de pattes. Cependant, le squelette a conservé les os où venaient se fixer les pattes et que l'on trouve chez les autres tétrapodes. Certaines espèces ont encore de toutes petites pattes atrophiées. Les serpents se déplacent en effectuant des mouvements ondulatoires avec tout leur corps. Certains sont venimeux et possèdent des dents creuses qui leur permettent d'inoculer un poison à leurs proies ou leurs agresseurs. Ils vivent sur le sol, dans les arbres, dans les rivières ou dans les mers.

De nombreux serpents se sont adaptés à la vie aquatique.

Le venin des serpents marins peut tuer un homme en quelques minutes.

Le cobra des Indes est aussi appelé « serpent à lunettes » à cause du dessin sur le derrière de sa tête.

LES CROCODILES

Les crocodiliens regroupent les crocodiles, les **caïmans**, les **alligators** et les **gavials**. Leur corps est recouvert d'une cuirasse composée de plaques dures d'origine dermique. Ils ont un museau allongé et des mâchoires avec de nombreuses **dents**. Ce sont les reptiles les plus aptes à réguler leur température, c'est pourquoi on les considère presque comme des animaux à sang chaud. Ils vivent au bord des cours d'eau et restent de longs moments immergés, ne laissant paraître que leur narines et leurs yeux placés sur la partie la plus proéminente de la tête. Certaines espèces s'aventurent en mer et parcourent de longues distances pour atteindre des îles.

Le crocodile marin mesure plus de 10 m de long. Il est responsable de nombreuses attaques sur des baigneurs attribuées à des requins.

LES OISEAUX

Ce sont des vertébrés **ovipares** à **sang chaud** caractérisés par un corps couvert de plumes. Deux de leurs membres sont devenus des ailes qui leur permettent le plus souvent de voler. Ils ont un bec corné à la place des dents. Les oiseaux sont apparus sur la terre il y a 130 millions d'années, au milieu du jurassique, à l'époque où les dinosaures dominaient le monde. Depuis, ils ont conquis le milieu aérien et aujourd'hui, on les rencontre partout, des pôles aux déserts les plus chauds.

L'ANATOMIE EXTERNE

En dehors du bec et des pattes, ils ont un corps couvert de **plumes**. Elles lui sont utiles pour voler et pour isoler son corps du froid et de la chaleur.

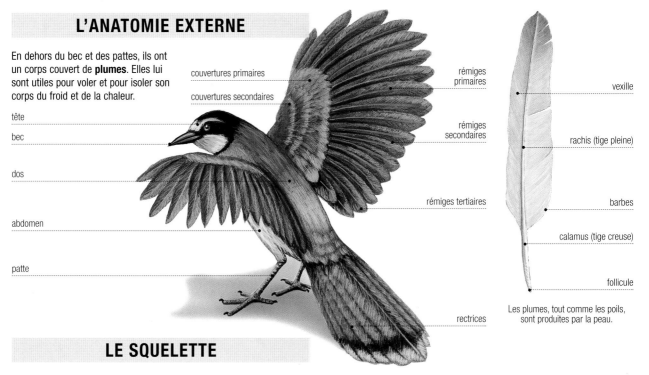

couvertures primaires
couvertures secondaires
tête
bec
dos
abdomen
patte
rémiges primaires
rémiges secondaires
rémiges tertiaires
rectrices

vexille
rachis (tige pleine)
barbes
calamus (tige creuse)
follicule

Les plumes, tout comme les poils, sont produites par la peau.

LE SQUELETTE

Les os du squelette des oiseaux présentent certaines caractéristiques particulières. Le sternum est développé en un élément appelé « **bréchet** » dont la taille est fonction de la puissance du vol de l'animal. De plus, les os sont souvent creux, réduisant considérablement le poids de l'oiseau.

L'ANATOMIE INTERNE

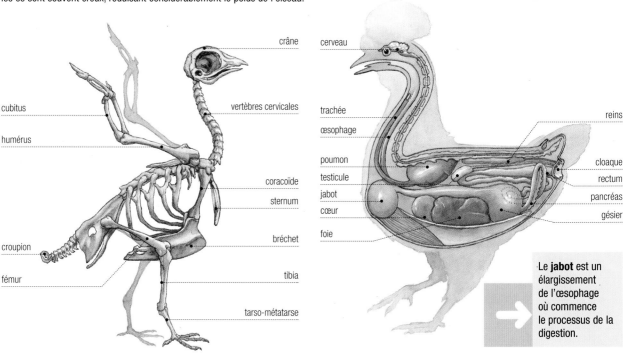

crâne
cubitus
humérus
vertèbres cervicales
coracoïde
sternum
croupion
bréchet
fémur
tibia
tarso-métatarse

cerveau
trachée
œsophage
poumon
testicule
jabot
cœur
foie
reins
cloaque
rectum
pancréas
gésier

Le **jabot** est un élargissement de l'œsophage où commence le processus de la digestion.

LE VOL

Les oiseaux se déplacent dans les airs selon deux espèces de vol : le **vol ramé**, en battant des ailes, ou le **vol plané**, les ailes étendues. Le vol ramé nécessite des muscles puissants qui sont fixés sur le bréchet. Pour le vol plané, les oiseaux profitent des courants ascendants pour prendre de l'altitude et se laissent ensuite entraîner par les vents, les ailes déployées.

Les oiseaux qui possèdent de petites ailes courtes, comme l'hirondelle, ne peuvent voler qu'en battant continuellement des ailes.

L'aigle royal peut planer très longtemps.

LA REPRODUCTION

œufs de chouette

œuf d'aigle pêcheur

œuf d'autruche

Les œufs peuvent peser quelques grammes, deux ou trois pour le colibri, et plus d'1 kg, voire 1,6 kg dans le cas de l'autruche.

Les oiseaux ont une **reproduction interne**. Ils construisent des **nids** plus ou moins complexes dans lesquels ils pondent des **œufs** qu'ils couvent généralement eux-mêmes. Ils s'occupent ensuite de leurs petits. De nombreuses espèces réalisent des **parades nuptiales** au sol ou en l'air avant de s'accoupler. Chez les oiseaux **nidicoles**, comme les **aigles**, les oisillons naissent aveugles et nus ; ils sont nourris par leurs parents pendant une longue période jusqu'à ce qu'ils apprennent à se débrouiller seuls. Les oiseaux **nidifuges**, comme les **canards,** naissent complètement formés et sont capables de suivre leurs parents quelques heures après leur naissance et de se nourrir par eux-mêmes.

LA NOURRITURE ET LES COUTUMES

L'alimentation des oiseaux est très variée : graines, fruits, insectes, serpents, rongeurs, oiseaux ou charognes. Certains consomment aussi bien des végétaux que de petites proies. D'autres, très spécialisés, ne connaissent qu'un seul type d'aliment.

Quelques oiseaux terrestres, comme les **autruches**, sont incapables de voler. D'autres, tel le **pingouin**, ne volent pas non plus mais nagent parfaitement. Cependant, la majorité des oiseaux vole avec plus ou moins d'adresse. Certains, comme les **albatros**, passent la plus grande partie de leur vie en vol. D'autres, à l'exemple des **perdrix**, ne volent que lorsqu'elles sont en danger.

De nombreux oiseaux, vivant dans des régions froides, parcourent des milliers de kilomètres pour rejoindre des zones chaudes à l'arrivée de l'hiver, afin de ne pas manquer de nourriture. Ils reviennent quand les conditions de vie sont meilleures et qu'ils peuvent se reproduire. Ce sont des oiseaux migrateurs. Les **cigognes** et les **oies** sauvages en sont un bon exemple.

De nombreuses espèces animales, en particulier les oiseaux, sont capables d'émettre des sons très mélodieux. Ce chant sert aux individus à communiquer entre eux (former un couple, signaler un territoire…).

bec carnivore
(faucon)

bec granivore
(gros-bec)

bec omnivore
(pie)

bec insectivore
(guêpier)

La forme des becs des oiseaux est adaptée au régime alimentaire.

LES OISEAUX VÉGÉTARIENS

Les oiseaux végétariens ont un **bec** adapté à leur régime alimentaire. Il est étroit et long, comme celui des colibris, pour pénétrer à l'intérieur des fleurs. Il est épais et fortement crochu, comme celui des perroquets, pour servir à s'accrocher afin de grimper. Beaucoup d'autres oiseaux ont un bec intermédiaire, court et robuste, pour briser les graines et les amandes.

L'AUTRUCHE

C'est le plus grand oiseau **terrestre** ; sa taille peut atteindre deux mètres de haut. Elle a de fortes pattes adaptées à la course et de petites ailes, car elle a perdu la faculté de voler. Elle vit en petits groupes, avec un mâle pour plusieurs femelles. Le mâle est chargé de veiller sur la ponte des femelles, aidé dans cette tâche par l'une d'entre elles.

LE CYGNE

C'est un grand oiseau élancé, au long cou très souple, dont le plumage peut être blanc ou noir selon les espèces. Il vit dans des zones humides où la végétation est abondante et le long des côtes abritées. Il se nourrit principalement de plantes aquatiques qu'il trouve au fond de l'eau, mais il consomme aussi de petites bêtes. En hiver, les cygnes se réunissent en bandes nombreuses.

 Pour se défendre ou attaquer, les autruches donnent des ruades.

LES OIES

Les oies sont très proches des cygnes. Elles ont un corps robuste et un long cou ainsi qu'une façon caractéristique de marcher. Leur plumage peut être blanc, brun ou tacheté. Ce sont des oiseaux grégaires qui vivent dans des zones humides aux eaux peu profondes et à la végétation abondante. En hiver, elles migrent vers des régions plus chaudes et reviennent au printemps pour pondre.

Le tétras est un galliforme avec des bulbes rouges caractéristiques au-dessus des yeux. Les mâles possèdent une queue spectaculaire.

LES POULES

Les poules sont des **galliformes** domestiques répandus dans le monde entier. Leurs ancêtres sauvages avaient des habitudes terrestres. Il existe aujourd'hui un grand nombre d'espèces, dont beaucoup ont été obtenues par sélection pour la production de viande ou d'œufs. Le coq est un mâle dominant qui conduit des groupes de femelles, comme chez leurs congénères sauvages.

LES PERROQUETS

Ce sont des oiseaux arboricoles des forêts tropicales du monde entier. Ils mangent fruits, graines, fleurs ou bourgeons. Leur gros bec ne leur sert pas seulement à briser les coquilles dures de certains fruits, mais également pour s'accrocher aux branches. Ce sont des oiseaux agités et bruyants qui vivent en colonies parfois très nombreuses. Les couleurs vives de leur plumage leur offrent un camouflage parfait dans les forêts tropicales.

LES COLIBRIS

Les colibris, ou oiseaux-mouches, sont parmi les plus petits oiseaux : ils peuvent mesurer moins de cinq centimètres de long et ne peser que quelques grammes. Ils ont un **vol au point fixe**, bourdonnant comme les insectes, et peuvent voler à reculons et sur le côté. Ces qualités lui sont nécessaires pour se maintenir au niveau des fleurs d'où ils extraient le nectar à l'aide de leur long bec.

Le cacatoès est un perroquet qui se distingue par un plumet sur la tête.

LE MOINEAU

C'est un petit oiseau, avec de grandes capacités d'adaptation, qui s'est habitué à la présence de l'homme. Il vit parfaitement dans les villes en groupes très nombreux. Comme la majorité des oiseaux, il est doué pour le chant. Ses pattes sont terminées par quatre **doigts**, dont l'un est dirigé vers l'arrière et trois vers l'avant, ce qui lui permet de se poser sur les branches et de marcher sur le sol.

LES TOUCANS

Les toucans habitent les forêts d'Amérique tropicale. Leur grand bec, parfois plus long que leur corps, est très léger et leur permet d'atteindre, à l'extrémité des branches, les fruits que d'autres oiseaux ne peuvent atteindre. De nombreuses espèces se nourrissent non seulement de fruits, mais aussi d'insectes.

Le canari est un serin domestique dont la beauté et le chant sont très appréciés.

LES OISEAUX DE PROIE

Pour chasser, pêcher ou attraper des insectes, ces oiseaux doivent se déplacer très rapidement, avoir une bonne vue et posséder les instruments adéquats afin de saisir et tuer leur proie. Pour parvenir à leurs fins, ils ont mis au point des techniques adaptées aux animaux qu'ils chassent. Les grands prédateurs, qui capturent leurs proies vivantes, sont dotés d'un vol rapide, d'un **bec** solide et de **serres** puissantes. Les oiseaux qui se nourrissent d'insectes ont un bec effilé. Les charognards ne tuent pas leurs proies, mais doivent pouvoir les dépecer.

LES PÉLICANS

Ils sont facilement identifiables avec leur **poche** sous le bec. Ils utilisent cette poche pour capturer des poissons, tout en nageant à la surface. Quand ils ont pris des poissons, ils rejettent l'eau et avalent leurs proies. Ils pêchent en groupes, formant une ligne qui avance lentement. Ils vivent près des côtes, dans des régions où les cours d'eau sont nombreux.

LES MANCHOTS

Les manchots sont des **oiseaux marins** de l'hémisphère austral. Ils sont incapables de voler, car leurs ailes se sont transformées en organes de nage. Ce sont d'excellents nageurs qui se nourrissent de poisson. Ils vivent en colonies nombreuses. Chaque couple a un petit. Quand les parents partent pêcher, les petits sont groupés en « **crèches** » et surveillés par des adultes.

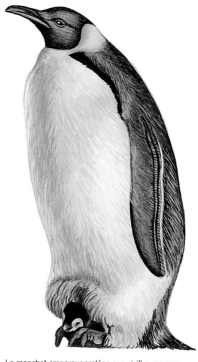

Le manchot empereur protège son oisillon sur ses pattes, en le recouvrant d'un repli de peau abdominale.

LES FLAMANTS

Le bec de ces oiseaux est un instrument efficace pour fouiller la vase et capturer les petits animaux qui y vivent. Leurs **échasses** leur permettent de se déplacer à des profondeurs diverses. Leur plumage est habituellement rose, blanc ou rouge.

Les flamants sont très grégaires. Ils forment des colonies de milliers d'individus et élèvent leurs petits ensemble. Ils fréquentent les régions marécageuses.

LES HIRONDELLES

Leur bec court et largement fendu leur permet de capturer en vol les insectes qui constituent leur régime alimentaire. Elles se sont habituées à la présence de l'homme et on les trouve souvent en train de construire leurs nids sous les toits. Les hirondelles ont des mœurs grégaires et, le soir, elles se réunissent en grand nombre pour dormir. À l'approche de l'hiver, elles migrent vers des régions au climat plus doux.

LES AIGLES

Les aigles sont de grands rapaces diurnes. Ils possèdent un fort bec crochu, une excellente vue, des **serres** puissantes et des aptitudes pour le vol. Ils se nourrissent d'oiseaux, de mammifères et de reptiles. Ils changent de technique de chasse selon la proie convoitée. Ils construisent des nids dans des arbres ou sur des rochers et élèvent de un à trois petits. Pendant la période des amours, les couples exécutent des acrobaties aériennes très spectaculaires.

Le balbuzard, ou aigle pêcheur, est très habile pour attraper les poissons.

→ Le **kiwi** est un oiseau des forêts de Nouvelle-Zélande, avec des ailes rudimentaires. Le mâle couve les œufs et s'occupe des petits.

LES VAUTOURS

Ces gros oiseaux **charognards**, avec leurs immenses ailes et leur art de planer, peuvent rester en l'air des heures entières sans fournir beaucoup d'efforts. Hauts dans le ciel, ils détectent la présence de cadavres et viennent de très loin pour s'en nourrir. Ils nidifient en général dans les massifs rocheux et forment des colonies parfois nombreuses. Les vautours jouent un rôle sanitaire important dans la nature.

LES MOUETTES

Les mouettes ont des ailes étroites et longues qui leur permettent de voler malgré les vents turbulents des régions côtières. Elles possèdent un bec puissant et des pattes palmées. Leur plumage est blanc avec des couleurs plus sombres sur le dos. Ce sont des oiseaux très grégaires dotés d'une grande faculté d'adaptation : ils ont su tirer parti de la présence de l'homme pour se multiplier. Les mouettes sont omnivores et ne dédaignent ni charognes ni détritus.

LES RAPACES NOCTURNES

Les chouettes et les hiboux sont actifs pendant la nuit. Ils ont de grands yeux adaptés à la vision nocturne, une ouïe très sensible, un bec crochu et fort, un plumage très doux qui leur permet de voler silencieusement. Ils se nourrissent essentiellement de petits rongeurs et vivent dans les bois. Ils font leur **nid** dans des arbres creux ou des trous de rochers.

Une chouette hulotte, camouflée dans un tronc d'arbre, guette une proie.

LES MAMMIFÈRES

Ce sont des vertébrés à **sang chaud**. Leur corps est le plus souvent couvert de **poils**. Les femelles, qui ont des **glandes mammaires**, allaitent leurs petits.

Ils peuplent tous les milieux. Beaucoup sont **terrestres**, mais certains sont **marins** et d'autres adaptés au **vol**.

CARACTÉRISTIQUES ANATOMIQUES

Le squelette des mammifères présente des membres très développés qui sont en général terminés par cinq doigts. Chez les herbivores, ces doigts forment des **sabots** ; chez les carnivores, ils se terminent par des **griffes**.

Les mâchoires sont pourvues de dents de plusieurs types : des **incisives** pour couper, des **canines** pour saisir, des **prémolaires** pour déchiqueter et des **molaires** pour broyer. Les **dents de lait** apparaissent pendant l'allaitement et, quand elles tombent, sont remplacées par les dents définitives.

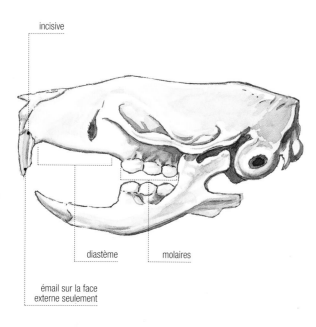

incisive

diastème   molaires

émail sur la face externe seulement

incisive

incisive plus petite

Deux types de dentition : en haut celle d'une souris, en bas celle d'un lapin.

Le **lait** est une substance produite exclusivement par les femelles des mammifères. Très nutritif, c'est le seul aliment que prennent les petits au cours de la première période de leur vie.

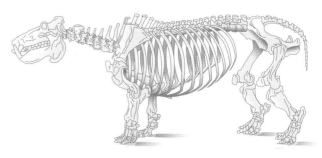

Squelette d'un hippopotame.

Chaque espèce de mammifère a un nombre de dents caractéristique : c'est la **formule dentaire**.

LA REPRODUCTION

La **fécondation** est interne et la majorité des espèces est **vivipare**, sauf les **ornithorynques** et les **échidnés** qui pondent des œufs. Les petits naissent à un stade de développement variable. Certains, comme de nombreux herbivores, sont capables de suivre leur mère quelques heures après la naissance. Mais d'autres, comme les primates, passent par une **période d'apprentissage** au cours de laquelle ils grandissent et se développent. Les mammifères sont en général moins prolifiques que les autres animaux. Chez les **rongeurs**, les naissances sont fréquentes et abondantes. À l'opposé, les **baleines** et les **éléphants** ont des gestations qui durent plusieurs années.

Les lionceaux sont surveillés par leurs mères alors que les mâles se désintéressent complètement de leur sort.

L'INTELLIGENCE ET LES ORGANES DES SENS

Le **cerveau** des mammifères atteint un degré de développement supérieur à celui de la majorité des autres animaux. Cela signifie que leur comportement est très complexe et, bien que leurs actions soient souvent instinctives, l'apprentissage y joue un rôle très important.

En général, la **vue** et l'**odorat** sont les sens les mieux développés chez les animaux qui vivent dans des espaces ouverts, alors que l'**ouïe** a une importance capitale pour les animaux qui peuplent les forêts, avec en plus la vue pour ceux qui se déplacent de branche en branche, comme les singes.

Le hérisson, de mœurs nocturnes, a des yeux et des oreilles tout petits, mais possède un odorat très développé.

Les singes ont une remarquable intelligence et des sens très développés.

Le jaguar est l'un des plus grands carnivores d'Amérique. Il a une vue perçante pour repérer ses proies.

LES MAMMIFÈRES SOCIAUX

De nombreuses espèces de mammifères ont des mœurs **grégaires**. Certains constituent d'immenses troupeaux, comme les **rennes** ou les **gnous**, pour se mettre à l'abri des prédateurs. D'autres se rassemblent pour chasser, comme les **phoques**. Les éléphants se regroupent par sexe : les femelles et les jeunes forment des troupeaux à part et les vieux mâles mènent une existence solitaire. Les chasseurs, tels les **loups** et les **lions**, forment des groupes hiérarchisés où chaque individu occupe une place à l'intérieur de l'organisation.

Les zèbres et les gnous se mélangent pour former de grands troupeaux afin de mieux se protéger des prédateurs.

Les phoques chassent souvent en groupes.

 Plus l'intelligence et le comportement d'un animal sont complexes, et plus la période d'**apprentissage** est longue.

DES MAMMIFÈRES PARTICULIERS

Les mammifères ont su s'adapter et conquérir n'importe quel type de milieu. Même s'ils sont en majorité terrestres, quelques-uns ont réussi à retrouver le milieu marin et ont acquis certaines caractéristiques des poissons. D'autres, en revanche, se sont adaptés en se dotant d'ailes. Quelques espèces, très primitives, survivent en conservant des caractères de leurs ancêtres reptiles.

L'ORNITHORYNQUE

Cet étrange petit animal, au **bec** aplati semblable à celui des canards, pond des œufs. Comme les reptiles, il a des pattes de chaque côté du corps au lieu de les avoir en dessous, comme les mammifères. Son corps est couvert de poils et il allaite ses petits. Il vit dans des galeries au bord des cours d'eaux australiens et chasse de petits invertébrés, essentiellement des mollusques.

L'ornithorynque vit en Australie et en Tasmanie.

LES KANGOUROUS

Leurs pattes postérieures longues et puissantes sont adaptées au saut. Les pattes antérieures sont plus petites. Une de leurs principales caractéristiques est la présence sur leur ventre d'une poche d'incubation, le **marsupium**. Les petits naissent à l'état fœtal, puis sont introduits dans le marsupium où ils grandissent en se nourrissant du lait de leur mère.

Le koala, comme le kangourou, est marsupial. Sa poche, ou marsupium, s'ouvre vers l'arrière.

LE HÉRISSON

C'est un animal solitaire dont les poils du dos sont devenus des piquants. Quand il est en danger, il s'enroule sur lui-même, les piquants tournés vers l'extérieur. De mœurs nocturnes, il se nourrit surtout d'insectes, mais aussi de vers, de mollusques, de petits oiseaux et même de baies et de graines. Pendant l'hiver, il est plongé dans un long sommeil jusqu'au printemps : on dit qu'il hiberne.

L'**échidné** pond des œufs et ressemble au hérisson, mais il en diffère par son museau et sa longue langue visqueuse avec laquelle il attrape des vers.

LES CHAUVES-SOURIS

Ce sont les seuls mammifères capables de **voler** réellement. Les doigts de leurs membres antérieurs, très longs, sont reliés par une fine membrane qui peut s'étendre sur les côtés et jusqu'à la queue, leur permettant d'avoir une surface de sustentation suffisante pour voler. La plupart se nourrissent d'insectes, même si certaines mangent des fruits et si d'autres, comme les **vampires**, se repaissent souvent du sang des mammifères. De mœurs nocturnes, elles sont grégaires et vivent dans des grottes.

LES BALEINES

Les baleines sont des cétacés au corps en forme de fuseau dont les membres antérieurs sont devenus des nageoires. Dépourvues de membres postérieurs, elles ont le corps terminé par une grande nageoire caudale horizontale. Quasiment sans poils, elles possèdent sous la peau une épaisse couche de graisse qui les isole du froid. Leurs dents sont remplacées par des lames cornées, les **fanons**, qu'elles utilisent pour filtrer l'eau et en retirer leur nourriture, composée de petits crustacés. Les baleines sont les animaux les plus grands de la planète : elles peuvent atteindre plus de 30 m de long.

Les chauves-souris ont des mœurs nocturnes et se déplacent guidées par une sorte de radar.

Les cachalots sont des cétacés moins grands que les baleines, même si certains mâles atteignent 18 m de long. Ils se distinguent par leur énorme tête.

LES DAUPHINS

Comme les baleines, ce sont des cétacés au corps fuselé muni d'une queue horizontale. De taille plus réduite, ils ne dépassent guère les 3 m de long. Leurs mâchoires sont pourvues de nombreuses dents coniques qui leur permettent de capturer des poissons. Ils nagent en groupes, à grande vitesse, et sont capables de faire des bonds acrobatiques hors de l'eau. ils vivent dans les mers et certaines espèces fréquentent les grands fleuves.

Les dauphins sont connus pour disposer d'un système complexe de communications acoustiques, pour leur sensibilité (au plaisir et à la douleur) et pour leur sociabilité envers les humains.

LES MAMMIFÈRES PRÉDATEURS

De nombreux mammifères sont **omnivores**, c'est-à-dire qu'ils mangent toutes sortes d'aliments, que ce soit des végétaux ou de la viande. C'est une particularité qui leur permet de surmonter l'adversité. Leur dentition se situe entre celle des herbivores et celle des carnivores. Comme tous les prédateurs, le besoin permanent de chercher ou de capturer leur nourriture leur a permis de développer des comportements élaborés. De nombreuses espèces sont attachées à un territoire.

LES LÉMURIENS

Ce sont des **primates** très primitifs, aux mœurs nocturnes, avec de grands yeux et une longue queue **non préhensile** ornée d'anneaux de couleurs. Ils vivent dans les arbres et sont omnivores. Ces primates ont un développement cérébral limité et un comportement très différent de celui des autres primates. Certains auteurs comparent leur comportement à celui des écureuils.

Les lémuriens sont de la taille d'un chat et vivent à Madagascar.

LES CHIMPANZÉS

Ce sont des **primates** de taille moyenne, dépourvus de queue, avec de longs bras. Ils sont capables de se tenir debout et de marcher sur leurs pattes postérieures, car leurs **pieds** sont adaptés à la marche. Très intelligents, ils communiquent entre eux au moyen de sons et de gestes ; ils sont aussi capables de construire et d'utiliser de petits outils. Génétiquement, ils sont très proches des êtres humains. Ils sont **omnivores** et vivent dans la forêt tropicale ou les savanes d'Afrique.

Outre leur remarquable intelligence, les chimpanzés possèdent, comme les êtres humains, un pouce opposable qui leur permet de manipuler les objets.

LES RATS

Ce sont des rongeurs avec un corps compact, une longue queue et une tête allongée. Ils sont omnivores et leurs dents poussent continuellement. De mœurs grégaires, ils vivent dans des galeries. Ils se reproduisent dès leur plus jeune âge : chaque femelle met bas de nombreux petits. Leur résistance est très grande et ils se sont répandus dans le monde entier. De nombreuses espèces se sont adaptées à la vie citadine, où ils peuvent devenir des fléaux et transmettre des maladies.

La marmotte est un rongeur de grande taille. En hiver, elle s'enferme dans son terrier et vit sur la graisse qu'elle a accumulée dans son corps.

LE LOUP

Le loup est un **carnivore**, très proche du chien, de la famille des **canidés**. Il est pourvu de pattes solides et minces adaptées aux longues courses. Il se nourrit de préférence de proies qu'il capture, mais il lui arrive de se contenter de charognes. Il vit en **bandes familiales** et chasse en troupe. Ce sont des animaux très intelligents qui éduquent longtemps leurs petits. Ils fréquentent les bois, les prairies et les steppes. Le loup a été longtemps pourchassé par l'homme qui le considérait comme un concurrent.

 Les loups communiquent entre eux non seulement par l'intermédiaire de sons, mais aussi par des attitudes et des mouvements de queue.

LE TIGRE

C'est un **carnivore** de grande taille au pelage brun ou orangé avec des rayures sombres caractéristiques. Il chasse à l'affût. Il se lance sur ses proies quand elles sont à sa portée, mais il est incapable de les poursuivre longtemps. Il vit la nuit, en **solitaire,** dans les forêts d'Asie, aussi bien dans les régions chaudes du Sud que dans les plaines froides de Sibérie.

Le tigre est un chasseur très puissant qui atteint 3,5 m de long et pèse plus de 300 kg.

LE PHOQUE

C'est un **mammifère marin**, moins bien adapté au milieu aquatique que les cétacés, car il doit regagner la terre ferme pour se reproduire. Ses pattes palmées sont devenues de vraies nageoires mais ses doigts sont visibles. Il n'a pas de nageoire caudale, à la différence des cétacés. Sa peau est couverte d'un pelage très dense et imperméable. Une couche de graisse l'isole du froid. C'est un animal aux mœurs grégaires qui forme de grandes colonies et se nourrit de poissons et de mollusques.

Les phoques ont été victimes d'une chasse intensive, car les hommes recherchaient leur peau et leur graisse. Aujourd'hui, ils sont protégés dans beaucoup d'endroits.

Le loup marin est très habile et rapide dans l'eau, mais maladroit sur la terre ferme.

LES MAMMIFÈRES HERBIVORES

Pour beaucoup d'animaux, les plantes constituent une alimentation facile à obtenir. Mais leur faible pouvoir énergétique les oblige à en consommer une grande quantité. Pour cette raison, le système digestif des herbivores est plus important que celui des carnivores. Ces animaux constituent la nourriture des prédateurs et, pour se protéger, ils ont mis au point différentes techniques. Dans certains cas, ils ont des cornes pour se défendre. Dans d'autres, ils se camouflent parfaitement. Un grand nombre trouvent le salut dans la fuite, car ils courent très vite.

LES ÉLÉPHANTS

Ce sont actuellement les plus gros animaux terrestres. Ils peuvent atteindre une taille de 3,5 m de haut. Leur **trompe** est une prolongation du nez qui est relié à la lèvre inférieure. Ils l'utilisent comme un cinquième membre pour arracher des feuilles aux arbres ou se frapper dans les combats. Ils s'en servent aussi pour aspirer l'eau qu'ils boivent ou pour s'arroser. Ce sont des animaux grégaires qui vivent en troupe sous la conduite d'un mâle. On les trouve dans les savanes et les forêts d'Afrique et du Sud de l'Asie.

L'éléphant d'Afrique est plus grand que l'éléphant d'Asie ; ses oreilles et ses défenses sont aussi plus grandes.

Pour conduire un cheval, un cavalier utilise une bride.

LE CHEVAL

Comme tous les **équidés**, le cheval possède à l'extrémité de chaque membre un **doigt unique** terminé par un **sabot**. À l'état sauvage, il vit en troupeau guidé par un mâle expérimenté, dans les prairies et les steppes. Domestiqué depuis l'Antiquité, il a évolué différemment selon son utilisation : pour le trait, la monte ou la viande.

LE LAMA

C'est le représentant de la famille des chameaux (**camélidés**) en Amérique, mais plus petit avec de longs poils et sans bosse. Il vit en troupeau sur les hauts plateaux d'Amérique du Sud et supporte parfaitement le froid des Andes. Pour se défendre, il crache le contenu de son estomac sur son adversaire. Depuis l'Antiquité, il a été domestiqué par l'homme qui l'utilise essentiellement comme bête de somme. Sa laine est moins appréciée que celle de l'**alpaga**, une espèce voisine.

Les lamas sont habitués à de hautes altitudes et fournissent de la laine, du lait et de la viande.

LE CERF

C'est un ruminant, de la famille des **cervidés**. Les mâles portent sur la tête des **bois** ramifiés qui tombent et sont remplacés chaque année. Il vit dans les forêts et les clairières des régions tempérées ou froides. Les femelles constituent des troupeaux dirigés par un mâle dominant. À l'époque du **rut**, les mâles engagent de spectaculaires combats pour la possession du troupeau de femelles.

LA GIRAFE

Son long cou lui permet d'atteindre les branches les plus hautes des arbres ; pourtant, il comprend le même nombre de vertèbres que le cou des autres mammifères. Elle a une longue langue dure qui lui permet de manger des épines sans se blesser. Son pelage jaune brun comporte des taches noires typiques. Elle vit en troupeau dans les savanes d'Afrique. Pour se défendre, elle se sert de ses sabots, capables de frapper et tuer un lion adulte.

La gazelle, avec ses pattes fines et ses cornes recourbées en forme de lyre, est un ruminant de la famille des bovidés.

La girafe est l'animal terrestre le plus haut : elle atteint 5 m de hauteur.

LE BISON

C'est un ruminant de grande taille de la famille des **bovidés**. Son corps est massif et puissant, avec une grosse tête et des épaules proéminentes qui forment une espèce de bosse. L'hiver, son pelage est long et épais. Il vit en troupeau, parfois important, dans les forêts et les prairies d'Amérique du Nord principalement. Mais il existe en Europe un petit groupe de bisons qui était sur le point de s'éteindre. Il réalise de longs déplacements, selon les saisons, à la recherche de pâturages.

Le bison d'Amérique du Nord a été pratiquement exterminé. Aujourd'hui, les bisons sont protégés à l'intérieur des grands parcs nationaux.

INDEX

Introduction

Anatomie
et physiologie

Écologie

Invertébrés

Invertébrés.
Mollusques et
céphalopodes

Invertébrés.
Bivalves et
gastéropodes

Invertébrés.
Annélides

Invertébrés.
Arthropodes

Invertébrés.
Insectes et
échinodermes

Vertébrés

Vertébrés.
Poissons

Vertébrés.
Amphibiens

Vertébrés.
Reptiles

Vertébrés.
Oiseaux

Vertébrés.
Mammifères

Index